MADELEINE
DE LA PELTRIE

Les francs-tireurs de l'information (préface de Colette Beau-
champ), Montréal, Sciences et culture, 1981.
Lueur d'espoir (en collaboration avec Gilles Lemay), Boucherville, éditions de Mortagne, 1985.
*Marie de l'Incarnation, Marie Guyart, femme d'affaires, mysti-
que, mère de la Nouvelle-France*, Paris/Montréal, Robert
Laffont, 1989.

Françoise Deroy-Pineau

MADELEINE
DE LA PELTRIE
AMAZONE DU NOUVEAU MONDE
(Alençon 1603 – Québec 1671)

BELLARMIN

L'auteur remercie le Conseil des Arts du Canada sans lequel ce travail n'aurait pu être entrepris, et le Centre Grand-Ouest de coopération interuniversitaire franco-québécois sans lequel il n'aurait pu être poursuivi.

Données de catalogage avant publication (Canada)

Deroy-Pineau, Françoise

Madeleine de La Peltrie, amazone du Nouveau Monde:
Alençon 1603 – Québec 1671: dossier biographique
Comprend des réf. bibliogr.

ISBN 2-89007-737-3

1. Chauvigny de la Peltrie, Marie-Madeleine de, 1603-1671.
2. Canada - Histoire- jusqu'à 1763 (Nouvelle France) - Biographies.
3. Nouvelle-France - Biographies.
4. Femmes - Québec (Province) - Biographies.
5. Ursulines - Québec (Province) - Biographies.
I. Titre.
BX4705.C462D47 1992   255.974'009714   C92-096850-3

Dépôt légal: quatrième trimestre 1992
Bibliothèque nationale du Québec.
© Éditions Bellarmin, 1992.

Et il s'est trouvé une amazone qui a conduit et établi des Ursulines en ces derniers confins du monde.

Relation des Jésuites de 1639

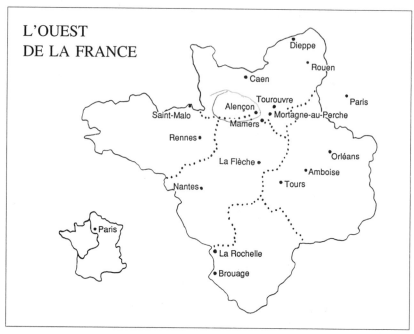

L'OUEST DE LA FRANCE

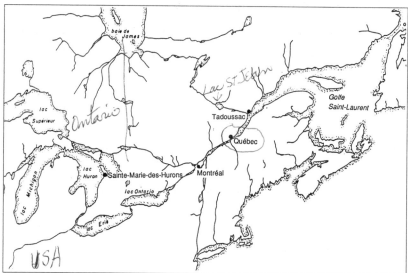

Madeleine de La Peltrie a quitté sa société de l'ouest de la France pour rejoindre des buts alors lointains et utopiques: Québec et Montréal.

Introduction

UNE AMAZONE EN DENTELLES

L'histoire de la mémoire de Madeleine de La Peltrie ressemble à une dentelle, non seulement parce qu'elle est née à Alençon, ville de la dentelle, mais en ce sens un peu mystérieux que l'inconnu des espaces vides de sa vie recèle autant de profondeur que le fil du texte.

Certains savaient déjà de son vivant qu'ils (ou elles) avaient affaire à une personne d'exception. Marie de l'Incarnation en parlait en termes élogieux. Le supérieur général des jésuites admirait, de Rome, dès 1641, «son zèle et sa charité[1]». À la fin de sa vie, un simple jésuite, le père Poncet, l'estimait au point de demander une première biographie. Jean Talon la comptait parmi ses meilleurs amis. De 1639 à la dernière — des *Relations* (1672), il a été dit le plus grand bien d'elle, notamment dans un éloge *post mortem* qui constitue le second récit de sa vie.

---

1. Lettre du P. Mutius Vitelleschi, Rome, 21 décembre 1641, répondant à une missive perdue où Madeleine remercie ce supérieur général. CAMPEAU (1990a, p. 49).

9

Dès 1675, dom Claude Martin, le fils de Marie de l'Incarnation, assimile la vie de Madeleine à celle de sa mère. L'une et l'autre «si conformes pendant leur vie» que la mort ne devait pas les séparer[2].

Dom Claude Martin connaissait fort bien Madeleine de La Peltrie, par sa mère. Il avait été, en 1655, l'heureux destinataire d'une de ses rares lettres: un éloge de Marie de l'Incarnation, prouvant par son style que Madeleine avait la qualité de savoir apprécier son amie Marie, à qui elle reconnaissait une sérénité et une tranquillité si inébranlables «que les grandes affaires et les tracas [...]» ne pouvaient la lui ôter. Marie, selon Madeleine, gardait douceur et bienveillance même «pour ceux qui lui font de la peine ou du déplaisir[3]». Remarque qui distingue autant celle qui la constate que celle qui en est l'objet.

Les propos de Claude Martin sont confirmés par un jésuite, François-Xavier Charlevoix, auteur d'une *Histoire et description générale de la Nouvelle-France avec le Journal historique d'un voyage fait par ordre du Roi dans l'Amérique septentrionale*, parue en six volumes, à Paris, en 1744[4]: «Sa vie a été fort semblable à celle de Marie de l'Incarnation et cela suffira pour persuader aux siècles à venir qu'elle a été une des plus brillantes lumières de l'Église naissante du Canada.»

Mais les années passent et un long silence s'installe, autant sur la mémoire de Madeleine que sur celle de Marie.

En 1857, les *Annales* des ursulines citent l'hommage à Madeleine d'auteurs anglophones exaltant son «caractère héroïque» et «les fruits de sa précieuse fondation» qui «se continuent

---

2. MARTIN, (réédition de 1981, p. 750-751).
3. Lettre de Madeleine de La Peltrie à dom Claude Martin. Marie de l'INCARNATION, réédition de 1985, p. 997.
4. Les références des textes cités figurent en bibliographie à la fin de cet ouvrage.

de nos jours, par l'excellente éducation qui est donnée aux jeunes personnes dans le pensionnat des ursulines».

D'un siècle à l'autre, les anciennes, en effet, non seulement élèvent leur famille d'une façon remarquable et remarquée, mais deviennent souvent maîtresses d'école, même dans les rangs[5] les plus reculés. Grâce à elles, et aux élèves des autres enseignantes qui s'installeront plus tard, on continuera, de mères en filles, à savoir lire et écrire le français... et parfois l'anglais.

En 1913, un certain James L.L.D. Douglas publie à New York et à Londres une étude comparée des circonstances de fondation de la Nouvelle-France et de la Nouvelle-Angleterre. Il souligne le rôle primordial des religieuses et de leurs bailleuses de fonds, et tout particulièrement celui de madame de La Peltrie, à qui il décerne bien des éloges.

Petite parenthèse francophone: en 1891, A.P. Gaulier, un auteur de la ville d'Alençon, consacre une biographie à cette concitoyenne émérite.

En 1941, une autre anglophone, Sophy Elliott, réserve dix de ses trente-trois chapitres de *The Women Pionneers of North America* aux religieuses venues en Nouvelle-France. Madame de La Peltrie se voit dédier un chapitre à elle seule. Elle en partage un autre avec Jeanne Mance. Elliott ne ménage pas ses louanges à l'endroit de Madeleine: sens de l'aventure, art de la stratégie, bon sens, capacité de vivre les incidents dramatiques corsés, liberté s'exerçant dans les limites de la prudence, mais de façon non conventionnelle, et canalisée vers les buts successivement fixés. Sophy Elliott conclut finalement qu'il s'agit de «l'une des plus attirantes parmi les héroïnes pionnières du Canada».

Pendant ce temps, en notre XXe siècle, les biographes de Marie de l'Incarnation ou les historiens masculins — quand ils

---

5. Au Québec, le «rang» est un chemin de campagne.

ne l'oublient pas — traitent Madeleine de La Peltrie de «candide», «distraite», «fantasque», «instable», «entêtée», «puérile», «irresponsable». Qualificatifs qu'ils n'auraient jamais osé utiliser avec d'autres personnes bénéficiant, en leur temps, d'une reconnaissance équivalente. Comme si le caractère original de cette femme autonome, ni mariée, ni religieuse, agaçait et déroutait.

Enfin, en 1966, c'est la publication du volume I du *Dictionnaire biographique du Canada*, avec la première biographie contemporaine de Madeleine de La Peltrie, sous la plume de mère Marie-Emmanuel Chabot, ursuline.

Puis vinrent les accords franco-québécois. La France redécouvre un Canada oublié depuis trois siècles. Madame Pierre Montagne — une historienne percheronne qui déjà s'intéressait discrètement à madame de La Peltrie — publie alors, en 1970 et 1972, deux articles qui discernent en elle une figure positivement actuelle, «jeune, dégagée d'obligations familiales», la «première des coopérantes», qui «se consacre à la grande cause de porter ce qu'elle sait... non par amour-propre, mais parce que son cœur brûle de l'amour des autres».

On aurait espéré que ces articles soient suivis par une biographie de Madeleine de La Peltrie. Mais, en 1974, c'est un bénédictin, dom Oury, qui reprend les travaux et les dossiers d'un confrère (don Jamet) sur Marie de l'Incarnation, et publie l'étude attendue. Elle est contrastée. Si la conclusion du moine exprime bien l'ensemble de sa pensée, madame de La Peltrie est admirable par «son courage, son esprit d'entreprise, sa hardiesse même: c'était un caractère très marqué. Sa générosité n'aurait sans doute pas pu être plus grande[6]». Mais l'auteur ne manque pas d'ajouter: «De grandes qualités de cœur et une noblesse de

---

6. Oury (1974, p. 123).

INTRODUCTION

vues qui l'affranchissait des petitesses ne parvenaient pas néanmoins à compenser certaines lacunes de nature: un irréalisme parfois pénible pour son entourage; un manque de sens du concret et une certaine instabilité. Il semble que madame de La Peltrie n'ait pas eu un sens suffisant de ses responsabilités et ne se soit pas affranchie de certains entêtements et de certaines violences.»

Madeleine serait en fait une pieuse et généreuse aventurière primesautière et sans cervelle. Vite dit, pour une pionnière, une authentique fondatrice, qui a tant payé de son argent et de sa personne.

*

* *

Notre travail se situe ici, dans la mouvance des études historiques réalisées d'une part pour commémorer la fondation de Montréal, et d'autre part pour mettre en perspective le rôle des femmes dans l'Histoire.

C'est l'histoire de la mémoire de Madeleine qui nous intéresse; tenter de lui rendre son vrai visage, celui d'une femme dynamique et audacieuse. Il lui a fallu parfois, dans des situations inédites, prendre des décisions qui l'opposaient aux intérêts immédiats de ses proches pour faire reculer les frontières de sa société et ouvrir des chemins. Ces buts lointains et utopiques à l'époque se nomment aujourd'hui Québec et Montréal.

*

* *

Se lancer sur les traces de cette amazone n'a pas été de tout repos. Contrairement à Marie de l'Incarnation, Madeleine de La

13

Peltrie n'a pas écrit la moindre autobiographie et ce qui reste de sa correspondance est très limité. Ses traces légères — ruse d'amazone? — permettent de reconstituer un itinéraire, mais laissent place à diverses interprétations.

La vie de Madeleine de La Peltrie fut un défi. La retracer en est un autre. Dans les années 1920 dom Jamet s'y était attelé, sur la lancée de sa passion pour Marie de l'Incarnation. Il avait eu accès à des fonds d'archives encore dans les mains des descendants du père de Madeleine, et en avait tiré des éléments de grand intérêt. Lorsque, dans les années 1960, dom Oury voulut compléter l'histoire interrompue par la mort de son prédécesseur, il s'aperçut, étonné, que les chartriers des châteaux concernés s'étaient envolés.

Restaient, pour établir la biographie de Madeleine de La Peltrie, les notes de dom Jamet; sans oublier les récits narratifs des témoins — jésuites, Marie de l'Incarnation, son fils — et les documents conservés au château de l'Isle, près d'Alençon, que dom Oury fit prudemment microfilmer à la bibliothèque municipale de cette ville. Après quoi, il écrivit la première biographie contemporaine de notre amazone.

Découvrira-t-on un jour la clé du mystère des archives disparues? En l'état actuel de la recherche, nous dressons une biographie de Madeleine à partir des travaux que nous venons de citer, complétés d'informations sur le milieu familial et provincial de Madeleine, puisées dans des documents de l'époque ou des ouvrages postérieurs. Tous sont cités en bibliographie à la fin de cet ouvrage.

Première partie

SECRETS D'ARCHIVES

1

UNE LIGNÉE ENRACINÉE
ENTRE SAINT-MALO ET PARIS

L'histoire connue de Madeleine de La Peltrie commence par un arrière-grand-père paternel nommé «honnête homme Antoine Cochon»; pas noble, mais riche, sieur de Vaubougon en Lougé, entre Falaise et Argentan. Il se fait appeler monsieur de Vaubougon, ou encore monsieur de la Tirelière, une terre dont il a fait l'acquisition. Il est contemporain de Jacques Cartier[7]. Peut-être l'a-t-il rencontré. Ses diverses tractations d'affaire l'ont probablement mis au courant des expéditions dans la vallée du Saint-Laurent. On sait, à Alençon, que le cardinal Le Veneur, évêque-comte de Lisieux, châtelain de Carrouges, grand-abbé du Mont Saint-Michel, a favorisé le voyage du capitaine Jacques

---

7. D'après madame Pierre Montagne, cet ancêtre semble être le héros d'une nouvelle de Marguerite de NAVARRE publiée en 1559 dans *L'Heptaméron*. Toutes les autres informations sur la généalogie de Madeleine de La Peltrie sont puisées dans les articles de madame MONTAGNE (1970 et 1972) et la biographie de dom OURY (1974).

Cartier de Saint-Malo «pour découvrir certaines Yles et pays où l'on dit qu'il se doibst trouver grande quantité d'or et d'autres riches choses[8]».

Depuis, de Saint-Malo à Dieppe, en passant par Honfleur et Rouen, la Normandie joue dans les découvertes un rôle crucial. Elle a vu naître de nombreux matelots. Ils n'ont pas rapporté d'or, ni de diamants, mais de la morue, des fourrures et même quelques Amérindiens que l'on véhicule sur les routes et dans les marchés, de Saint-Malo à Paris. Alençon est sur le trajet. Voyageurs, marchands, colporteurs et marins font courir les bruits les plus divers allant jusqu'à semer la terreur chez les pauvres métayers qui les écoutent et pourraient pourtant trouver là-bas un moyen de devenir propriétaire. Le Canada apparaît comme un pays «espouvantable».

Mais de tout cela Antoine Cochon de Vaubougon de la Tirelière se soucie fort peu. Il convole une première fois en justes noces avec Ysabeau Le Hayer. Un nom à retenir: des cousins Le Hayer provoqueront des problèmes de succession. Ysabeau morte, il se remarie. En tout, Antoine engendre neuf enfants. Lorsqu'il quitte ce monde, sa coquette succession, meubles, terres et immeubles, revient à son fils aîné, Guillaume I Cochon, qui épouse Claire Gervaiseaux. Leur naissent deux enfants: madame de Boisgervais et Guillaume II, le futur sieur de Vaubougon, de Chauvigny et d'autres lieux, président des Élus — un tribunal jugeant les litiges concernant les impôts (tailles, aides) —, et père de notre Madeleine.

---

8. Cette citation bien connue de Jacques Cartier se trouve, entre autres, dans *Le monde de Jacques Cartier*, de BRAUDEL (1984), où l'on découvre quelle était la mentalité de l'époque et ce que les gens pensaient du Canada. Voir aussi MATHIEU (1991) et MORISSONNEAU (1978).

UNE LIGNÉE ENRACINÉE

*

* *

Avant de poursuivre, notons que le jeune Guillaume II est le héros de faits d'armes qui l'inscrivent dans la politique et l'histoire.

Nous sommes en 1588. Les guerres de religion servent de prétextes à des querelles de princes. L'épisode dit des trois Henri bat son plein.

Le roi de France, Henri III, catholique modéré, sans descendance, cherche à s'entendre avec les protestants, qui ont pour tête de file son lointain cousin Henri de Navarre, héritier, notamment, du duché d'Alençon. De leur côté, des catholiques extrémistes, appelés Ligueurs, sont dirigés par Henri de Guise, autre cousin du roi, éventuel prétendant au trône. Voici que les Ligueurs s'emparent d'Alençon. Les notables, dont Guillaume Cochon, suspects de fidélité à Henri III, sont emprisonnés derrière les gros murs du château féodal. Heureusement pour lui, Guillaume est transféré à la conciergerie, moins bien gardée. Il y reçoit la visite de son ami Nicolas Barbier et de sa femme, qui lui offrent un plat d'argent. Le futur père de Madeleine, très débrouillard, s'empresse de le marchander avec le guichetier, contre sa liberté, bien entendu. Le soir même, moyennant espèces sonnantes et trébuchantes, il revient délivrer un compagnon de cellule. Puis les deux hommes se hâtent de rejoindre l'armée du roi Henri III. Guillaume s'y illustre alors en compagnie d'un jeune seigneur, Charles de Gruel de la Frette de Saint-Loup, avec qui il lie une solide amitié, tout en se faisant remarquer honorablement par le nouveau roi Henri IV qui est nul autre qu'Henri de Navarre devenu catholique. Entre-temps, Henri, duc de Guise, puis Henri III, ont été assassinés. Paix soit à leur âme.

À la reprise d'Alençon par les troupes du roi Henri IV, la ville a été saccagée et Guillaume Cochon, complètement ruiné.

Mais il ne se laisse pas abattre et fait valoir ses bons services. Une enquête est ordonnée sur les «pilleries» et «voleries» dont fut victime Monsieur le Président de Vaubougon, qui, l'avenir le prouve, récupère ses biens et saura les faire fructifier.

Du côté maternel, l'arbre généalogique de Madeleine remonte plus haut, dans le temps et la noblesse. Jeanne du Bouchet de Maleffre est issue d'une des anciennes familles du Maine, alliée à la Maison de Sourches, célèbre dans la région du Mans et la Mayenne. Leur nom est connu à la cour: Jacques, frère de Jeanne, porte le titre de «gentilhomme ordinaire de la chambre du roi», assorti d'une pension et d'un prestige certain. Le grand-père, bisaïeul de Madeleine, gagna sa notoriété en organisant une procession armée, à l'occasion de la Fête-Dieu de 1562, malgré les menaces des protestants. Il marchait en tête, à cheval, l'épée nue, entouré de la corporation des bouchers.

Jeanne du Bouchet, qui n'a rien à envier à tous les Sottenville et La Pruderie de Molière, fut l'épouse en premières noces d'un certain Guillaume Jouenne. Elle en eut deux filles: Madeleine et Marie, qui se marieront pendant l'enfance de notre petite Madeleine; l'aînée, avec Jacques de Valpoutrel; la seconde avec Alexandre Mallard, sieur de Glatigny et de Mahéru. Les Mallard se sentiront lésés dans une transaction avec Guillaume Cochon de Vaubougon. Encore une source de procès.

Les noces de la noble veuve Jeanne du Bouchet de Maleffre et du riche célibataire Guillaume Cochon de Vaubougon ont lieu le 20 février 1591, aux petites heures du matin, à l'issue d'une veillée de prières. Est-ce pour faire l'économie d'un charivari, ce chahut moqueur de très mauvais goût, organisé par les amis et les cousins lors du mariage d'une veuve[9]?

---

9. On peut puiser des détails à ce sujet dans Davis (1979), p. 168-169.

UNE LIGNÉE ENRACINÉE

*

* *

Par l'entremise de monsieur Durand de Saint-Front, authentique descendant de Guillaume de Chauvigny, dom Jamet avait découvert dans les années 1930, au château de Clairfontaine, un petit cahier de deux cent sept feuillets — aujourd'hui mystérieusement disparu — couvert de parchemin et intitulé «Mémorial pour mes affaires tant des métairies que rentes et du ménage de ma maison». C'était le livre de raison du père de Madeleine. Une sorte de registre où il consignait les événements familiaux et comptables. Le bénédictin-chercheur ayant pris des notes, une partie du contenu du cahier a été préservée de l'oubli.

Une cascade de deuils suivra le mariage. En 1592, un premier enfant, Jacques, naît en janvier et meurt en avril. En septembre 1593, naissance de René, qui, lui, s'éteindra vingt-cinq ans plus tard. Mais Renaud vit trois ans, de 1595 à 1598. Léon, né en 1596, mourra au collège des jésuites de La Flèche en 1607. François, né en 1597, disparaîtra en 1610. Pierre vit quatre mois en 1599. Un dernier enfant apparaît, mort-né, en 1605. Seules les filles, Marguerite, née en 1600 et Madeleine, venue au monde le 25 mars 1603, survivront.

Le lieu du baptême de Madeleine n'est pas indiqué. Les uns le situent à l'église Saint-Léonard d'Alençon, près du monastère des actuelles carmélites, qui y fabriquent toujours des petits Jésus en cire, comme ceux qu'au XVIIe siècle l'on faisait venir de France à Québec; d'autres, à Notre-Dame, où Thérèse de Lisieux sera baptisée deux cent soixante-dix ans plus tard.

Les pages du livre de raison font ressortir une année importante pour Madeleine: 1618. Le 11 janvier, son père est autorisé à porter officiellement le titre de sieur de Chauvigny. Le 25 mars, *en 1618*

notre héroïne fête ses quinze ans. Le 16 juillet, sa sœur Marguerite signe un contrat de mariage avec Georges Desmoulins, sieur
de la Queustière, lieutenant particulier du bailli d'Alençon. Le
12 novembre, son frère aîné, René, héritier de la famille, meurt.
Un deuil de nature à entraîner des conséquences importantes. Il
n'y a plus d'héritier mâle dans la famille de Chauvigny. Guillaume et Jeanne seront donc portés à rechercher pour Madeleine
une alliance d'autant plus prestigieuse qu'ils pourront mieux la
doter que Marguerite. Ce sera là, après les querelles suscitées
par les Le Hayer et les Mallard, une troisième source de conflit.

2

UNE ADOLESCENCE
NON CONFORMISTE

La jeune Madeleine, d'après les témoins de sa vie, refusait mordicus de convoler. Qu'avait-elle donc contre le mariage? Ses premiers biographes affirment qu'elle ne pensait qu'à la vie religieuse. Soit. Nous avons cherché dans les nouvelles de J.P. Camus, un auteur à succès de l'époque, ce qu'une jeune fille intelligente pouvait penser de la vie conjugale et de la situation de la femme[10]. Au fil des pages, l'auteur livre quelques constations bien révélatrices des mentalités.

— Qu'est-ce qu'une pauvre jeune fille?

— Un meuble que chacun aime mieux en la maison de son voisin qu'en la sienne.

— Si elle est riche?

— Un appât pour les mouches.

---

10. Les dates des publications de Mgr J.P. CAMUS s'échelonnent dans le premier tiers du XVIIe siècle. *Trente Nouvelles* qui en rassemble plusieurs a été publié vers 1630.

— Serait-elle jolie?

— Une plante rare, à offrir, bien emballée, à quelque descendant de la vieille noblesse pour assurer le prestige et l'honneur de sa lignée.

— Qu'arrive-t-il à la «plante rare» promise à un mariage sans amour?

— Un ensevelissement toute vive, ou des aventures à faire frémir d'horreur.

Notons l'un de ces récits que Madeleine a pu lire clandestinement car les pucelles n'avaient pas le droit d'accéder à ce genre de littérature. On imagine la débrouillarde jeune fille persuadant une servante, pendant le ménage de la chambre maternelle, de subtiliser discrètement le recueil des nouvelles de Camus. Puis Madeleine plonge le livre dans son panier à ouvrage et le lit en cachette, entre deux points à l'aiguille, pour découvrir ce qui attend une jeune femme mal mariée:

> Pélagie, dont le vieux mari était d'humeur chagrine, cherche autour d'elle de quoi divertir sa mélancolie, sans y voir, d'ailleurs, le moindre mal. Elle se découvre admirée, recherchée, et, bien entendu, tombe amoureuse d'un jeune homme de son âge. Le vieillard s'en aperçoit et court chez l'apothicaire demander un poison. Rusé, mais honnête, ce dernier lui refile un somnifère et en avertit la belle-famille. Une fois l'épouse endormie, le vieux mari, qui la croit morte, informe, avec la consternation d'usage, père et mère. Eux, qui ont appris la vérité, se précipitent au chevet de leur fille qu'ils installent à l'abri. Un procès est instruit. Le vieux mari est condamné à mort, pendu, et brûlé[11].

---

11. L'histoire de Pélagie figure p. 86 des nouvelles de Camus. Le thème de la jeune femme mariée malgré elle se retrouvera plus tard dans *Georges Dandin*, de Molière (1668).

Comment un mariage peut-il réussir si l'on ne considère pas, avant tout, les facteurs de bonne entente? Pourtant, la plupart des parents du XVIIe siècles s'y refusent. Pas question à cette époque de laisser les intéressés choisir eux-mêmes. Le risque de mésalliance fait souvent oublier aux adultes leur propre jeunesse. Au lieu de choisir les conjoints en fonction des goûts et des caractères, ils unissent les enfants malgré eux, concluant des mariages qui satisfont leurs ambitions. Les pères en rêvent. Les filles en crèvent. De quoi dégoûter la jeune Madeleine, qui oppose farouchement à sa famille des torrents de larmes et résiste aux pressions sociales qui en cette époque règlent tous les temps de la vie avec la plus grande précision.

*

* *

On lit dans la *Relation* que Madeleine était dotée, dès sa jeunesse, de miséricorde et de charité envers les pauvres. Qu'est-ce à dire? Qu'en était-il de la pauvreté à Alençon au début du XVIIe siècle?

Une liste de l'époque illustre les cas sociaux qu'elle a pu côtoyer[12].

Jehan Gouppil, «escardeur» (peigne la laine et le chanvre), 25 ans. Sa femme, Thoumine, 30 ans, «en la maison» de Jehan Ardesoif, près la Chaussée. Chargé de trois petites filles, l'une «de mamelle» (au sein), l'autre de quatre ans, et l'autre de sept. Pendant la maladie de la mère, qui dura 4 mois, une petite fille est tombée dans le feu et demeurera perdue à jamais au visage.

---

12. Voir JOUANNE (1955) «La pauvreté à Alençon du temps de Marguerite de Navarre». Précisons que la pauvreté était moins accentuée du temps de Madeleine, un siècle après Marguerite de Navarre, mais que les cas sociaux étaient nombreux et du même type.

L'homme ne trouve où besogner pour le présent. Lorsqu'il «besogne de son métier», il peut gagner 10 à 12 deniers par jour, sur quoi faut prendre leur pauvre vivre et nécessité, payer chaque année 30 sols de loyer audit Ardesoif. «Pauvre honteux», il reçoit en aumône douze deniers et trois pains par semaine. Il faut 3 sols pour un boisseau de froment, trente pour une «pipe» de cidre, 4 ou 6 deniers pour une paire de sabots[13].

La coutume considère deux sortes de pauvres. Les «pauvres mendiants», qui peuvent mendier, eux ou leurs enfants, dès que les marmots tiennent sur leurs jambes, et les «pauvres honteux» qui n'ont guère le cœur de s'y résigner. Ce sont les pauvres honorables. Seules les aumônes en deniers, pain, pois ou fèves les empêchent de mourir de faim. On n'en a jamais assez. Aussi faut-il vérifier que ceux qui reçoivent ne peuvent vraiment pas travailler. Sinon, gare à eux, on doit les rayer de la liste.

Michel Lévesque, boucher, 65 ans. Jacquète, 50 ans environ, 3 filles (7,9 et 18 ans). Ne peuvent plus faire leur métier. Loyer: 30 sols. Pauvres honteux. Mais ledit Lévesque a un fils nommé Raullin, marié, riche, qui ne secourt pas ses père et mère. «Il faut le contraindre à ce faire», lit-on en marge de la liste.

Veuve depuis 6 ans de Marin Desmoullins, 45 ans. Deux enfants, 8 et 10 ans. Gain à filer au rouet et à la quenouille: 20 deniers par semaine, quand elle peut trouver. Loyer, 15 sols. Les enfants vont mendier. On leur donne quatre pains jusqu'à la Pentecôte.

Madeleine a probablement, très jeune, vu défiler les pauvres en tous genres, approché des cas précis, nombreux, variés, qui semblent n'en plus finir.

Les beaux jours venus, il se peut qu'elle soit autorisée, avec Marie Le Gorren, sa sœur de lait, ainsi qu'une gouvernante

---

13. 1 livre = 20 sols. 1 sol (ou sou) = 12 deniers.

d'âge respectable et quelques serviteurs, à procéder elle-même à la distribution des aumônes, au faubourg de Lancrel, l'un des quatre faubourgs d'Alençon. Elle doit alors diriger une expédition et traverser toute la ville. De quoi prouver son sérieux précoce et sa maturité de caractère assez rares, si l'on en croit la *Relation*.

Beaucoup d'artisans et d'apprentis ne peuvent exercer leur métier. L'hiver est une morte-saison pour les gens du textile: escardeurs (cardeurs de laine ou de chanvre), tessiers (tisserands), fileuses.

La plupart des cas sociaux, au métier assez flou, sont dans la force de l'âge (25-45 ans), souvent affligés de maladies pénibles et mal définies qui les défigurent et déforment prématurément leur silhouette. Peu de vieux: pas un sur dix. Les parasites se multiplient sur leur tête et leur corps: la petite Jehenneton est malade de la teigne à en mourir. Tout se passe comme si un mauvais sort guettait de toutes parts ces malheureux et malheureuses. L'une, durant un hiver très rigoureux, a perdu une main, gelée lors d'une lessive au ruisseau. Une autre marche avec des «potences» (béquilles) depuis qu'elle a reçu sur la hanche une lourde cruche en terre cuite. Une troisième est quasi «non ponante» et toute tremblante après avoir été bousculée par un carrosse dans une des ruelles étroites et malpropres d'Alençon, ni plus ni moins sale que les autres villes de France. Un homme est «tout boiteux» et impotent, des suites d'un accident d'attelage. Un orphelin s'en sort, mais fort petit et bossu. Un enfant est «perdu d'une jambe» mordue par un porc qui traînait dans la rue. Une vieille femme de quatre-vingts ans, aveugle et grabataire depuis huit ans «décrépite»; il lui faut deux personnes pour l'assister. Une pauvre fille, recueillie par sa tante, est «haussée de tête». Une fillette de quatre ans qui n'entend pas le moindre bruit est à tout jamais considérée comme folle. Jehanne gagne peu «pour ce qu'elle est fort blessée d'un genou», après être tombée, trop chargée de ses seaux d'eau. Gillette est quasi grabataire depuis qu'elle a reçu une charretée de bois sur le dos, qui l'a toute «grugée».

Madeleine ne manque donc pas d'occasions pour apprendre à accompagner les aumônes de paroles compréhensives; et à écouter attentivement les uns et les autres avant de glisser sols ou deniers dans les mains tendues. Elle découvre un monde que sa famille et ses amis — excepté une certaine madame Le Bouyer, célèbre à Alençon pour ses bonnes œuvres — semblent ignorer et mépriser, fascinés qu'ils sont par l'éclat et le brillant de la cour et des nobles.

Elle peut s'apercevoir que les enfants ou adolescents livrés à eux-mêmes n'ont pas forcément de mauvais instincts. Tel orphelin de dix-huit ans, petit et bossu, nourri par le «voisiné», irait volontiers à l'école. Le fils aîné de la veuve Leroy, treize ans, servirait ou apprendrait un métier, s'il trouvait un maître.

Le sort des filles paraît particulièrement injuste. La grande de Jacques Loret, «faiseur d'esseules» (bardeaux de bois pour couvrir les maisons) préfère mendier que de se mettre en service. C'est que le salaire des servantes ne cesse de baisser. Leur condition fait peine, surtout si elles ont de mauvais maîtres. Pourtant, cette fille ira en prison pour avoir refusé un tel sort. Quant à la débauche, elle entraîne des sanctions rédhibitoires; mais les hommes ne sont jamais punis, tandis que les femmes, qui souvent se «débauchent», pour nourrir les leurs, le sont toujours. La veuve Bérault assure qu'à soixante-dix ans, elle ne peut guère gagner son pain. Mais elle est «renommée sorcière et maquerelle». On l'exclut de la liste. Les filles-mères sont interdites d'accès à l'Hôtel-Dieu. Toutefois, les familles des pauvres détenus en prison sont secourues.

Côtoyer la détresse — ne serait-ce qu'épisodiquement —

donne une vision de la société bien différente de celle dont on entend parler dans les salons bien nantis. Pour les uns, c'est une obligation de conscience. Pour les conformistes, il ne s'agit que d'un devoir facultatif de nature à compléter la renommée de la famille, pour se montrer.

Aussi la jeune Madeleine est-elle accablée de remontrances par les siens. De là à vouloir fuir le monde et entrer au couvent, il n'y a qu'un pas, qu'elle franchit, malgré la réputation de ces établissements: des lieux où l'on se débarrasse des filles pauvres ou laides. Ce que fera de ses quatre filles un seigneur de Carrouges, quelques années plus tard.

3

COUTUMES
ALENÇONNAISES

L'enfance de Madeleine s'est déroulée à l'hôtel Cochon de Vau-bougon, dans la Grande rue, en plein centre d'Alençon. On peut y entendre monter les rumeurs de la ville; on se précipite aux fenêtres pour regarder, à travers les verres en petits losanges, le spectacle de la rue.

Le samedi saint, c'est le «Pâqueret». Des groupes d'enfants en haillons déambulent joyeusement, derrière un violoneux et un joueur de musette. Ils s'arrêtent devant la porte des plus riches et entonnent: «Alleluia, L'querem s'en va, Filles et garçons, Réjouissez-vous!»[14]

Les dames, ainsi Jeanne du Bouchet et ses filles, Margue-rite et Madeleine, ont préparé des œufs durs et de la petite monnaie. Pendant qu'elles se font belles et que l'huis tarde à

---

14. Inspiré de *La Normandie ancestrale*, du docteur S. CHAUVET.

s'ouvrir, on entend, à l'extérieur: «O filii et filiæ, N'oubliez pas not' ptit Pâq'ret, Bounes gens, Dieu vous l'rendra. Alleluia». La porte s'ouvre enfin. La foule admire une belle robe de soie à fond vert rayé de rouge, les bonnets de batiste en dentelle, les jupes à bouquets rouges, en indienne — un nouveau textile — et les «appolons» (corsages) assortis. On lance sous et œufs durs à la volée. Satisfait, le groupe de pauvres part chanter plus loin, devant la demeure d'un avocat. Mais la maîtresse de maison est beaucoup moins généreuse que la famille de Chauvigny, et le chœur des jeunes mendiants entonne:

> Vous n'donnez ri, pourqui d'ingrats, Qu'la piau du dos vous col'es draps, Quand je r'pass'rons j'la décoll'rons, Alleluia. [...] Dormez, dormez, avaricieux, Les avocats sont des liq'piats, Dans votre lit fermez les yeux, Un jour viendra l'diab' vous enlèvera. Alleluia.

Autre sacro-sainte coutume: le trousseau confectionné, pièce par pièce, que Madeleine a dû passer des heures à broder, en compagnie de Marie Le Gorren dite «La Fontaine». Les seules fantaisies permises consistent à combiner un ciel de lit de coton bleu avec une bordure et des rideaux en indienne dans les mêmes nuances.

Le tout est rangé dans la traditionnelle armoire normande, qu'on emporte au moment du mariage, toute remplie des douzaines de chemises, serviettes et taies d'oreiller dont l'inventaire, horizon du mariage de la jeune fille docile, doit s'avérer suprêmement agaçant pour une nature bouillonnante d'énergie.

À la fin du printemps, les familles de la bonne société alençonnaise gagnent leurs terres pour jouir des charmes de la campagne normande et fuir l'épouvantable odeur de pourriture qui émane des ruelles urbaines. À la Saint-Jean, il est à supposer que la famille de Vaubougon prend le frais en son fief de

Chauvigny, au-dessus de la ville. On prépare la fête. Une armée de serviteurs et de servantes frotte, brique, passe au peigne fin le château, les communs et les jardins. Les uns dressent des tables dans la prairie pour les collations. D'autres préparent des brassées de genêts pour nourrir les flambées qui deviendront des braises sous les broches à rôtir. Près de l'étang, on rassemble le bois pour le feu traditionnel autour duquel on fera la ronde, le soir. Les femmes tressent des couronnes de lierre.

Plus tard, se feront sentir les délicieuses effluves des poulardes rissolées à point et prêtes à être découpées et présentées aux convives dans de grands plats de faïence à dessins bleus. Les barriques disposées çà et là dispensent le cidre et le poiré.

Fromages, crèmes fouettées et confitures terminent le repas. Le calvados — une invention encore récente au XVIIe — réjouit les cœurs. Enfin, le feu de la Saint-Jean est allumé. Tandis que son reflet illumine l'étang, ménétriers, violoneux et joueurs de musette, juchés sur des barriques, donnent les premières notes du chant d'ouverture: «À la Saint-Jean, ma fille...», qu'un bon chanteur entonne. Un jeune homme déclenche la ronde, danse traditionnelle des Normands, et la jeunesse va tourner autour du feu.

Madeleine n'est sûrement pas la dernière à danser et à s'amuser! Au refrain, repris en chœur par toute l'assemblée, le mouvement de danse s'accélère. Dès que le meneur est fatigué — ce n'est pas rien de mener une grande «rondance» — un autre prend sa place et tous repartent en sens inverse. Les chants se succèdent. Les vieux vident les barriques. Les premiers invités sont partis au chant de l'alouette. Les derniers s'attarderont jusqu'aux petites heures du matin.

C'est l'heure où le père de famille part à la «louerie», le marché aux domestiques. Après avoir accompli le tour du fief à cheval, métairie par métairie, et dressé le compte des valets et servantes qui y demeurent et de ceux qu'il faudra remplacer, il va en ville choisir son nouveau personnel. Il examine les domestiques endimanchés et rassemblés dans l'attente d'un autre maître. Les servantes ont un bouquet épinglé sur le côté gauche du corsage. Les fileuses, une quenouille à la main, les valets-charretiers, un fouet sur l'épaule, les bergers, un chien tenu en laisse. Il questionne qui lui plaît: «Combien le fouet (ou le bouquet)?» On se renseigne sur la tâche. On demande ce qu'on sait faire. «Ché terjours cht'eu joû là qui en savent fair l'pus» dit la rumeur! On marchande et finit par s'accorder sur un montant annuel, en pistoles, complété par quelque objet en nature: une blouse, une ou deux paires de sabots. Une fois le marché conclu, la servante met son bouquet sur le côté droit, le charretier baisse son fouet. Les fonctions commenceront à la Saint-Clair, le 17 juillet.

Avec la fin de l'été viendra le temps d'aller au vieux moulin de Vaux Bougon, berceau de la famille, à Lougé-sur-Maire, au nord-nord-est d'Alençon, au delà de Carrouges; à Harenvilliers ou au Val, pour y recueillir les redevances, sous forme de beurre, fromages, rillettes ou cidre. Encore faut-il, en bon Normand, savoir jauger la qualité de chaque barrique et même les variétés de pommes utilisées.

4

LES JÉSUITES
ET LA NOUVELLE-FRANCE

Madeleine a connu deux ou trois de ses frères; probablement Léon, disparu à onze ans quand elle en avait quatre; certainement François, peut-être son meilleur compagnon de jeu, mort à treize ans, alors qu'elle en comptait sept; sûrement l'aîné, René. Au moins un de ses frères, Léon, a fait des études au collège des jésuites de La Flèche: c'est là qu'il est mort.

Il se peut qu'elle ait eu, très jeune, des échos des récits du père Enemond Massé, économe de ce collège, qui avait vécu en Acadie. Qu'elle ait entendu parler, dès sa tendre enfance, des grands changements survenus en Canada depuis le premier voyage de Jacques Cartier en 1534. Qu'elle ait eu connaissance des affirmations selon lesquelles il n'y avait pas eu plus grand événement au monde, depuis la naissance et la résurrection du Christ, que la découverte de l'Amérique. Les jésuites rectifient les rumeurs que colportent les marchands: oui, le pays est dur, surtout à cause du climat, mais les Amérindiens sont des peuples passionnants et il y a là-bas de magnifiques terres, très fertiles. Le capitaine Champlain, financé par feu le roi Henri IV, après avoir exploré la côte nord-est de l'Amérique du Nord et hiverné en Acadie, a fondé en 1608 une nouvelle ville, Québec, au fond de l'estuaire du Saint-Laurent. Les Amérindiens qui cultivaient le maïs et que Jacques Cartier avait rencontrés ont disparu des lieux, mais ceux qui vivent de pêche, de chasse et de cueillette y sont toujours, très accueillants. Ils favorisent la présence des Français. Quatre familles sont installées. Les Hébert ont un jardin, et les récoltes sont belles. Ces colons sont accompagnés de pères récollets qui se sont enfoncés dans les terres jusqu'à de très grands lacs où ils ont rencontré une nation étonnante et séduisante, mais si différente: les Ouendats, que les Français nomment Hurons.

Peut-être la petite fille est-elle fascinée par les récits des pères transmis par ses grands frères, considérablement plus convaincants que les sermons prêchés par les capucins à l'occasion des retraites et qui sont de véritables harangues. L'existence de ces nouveaux peuples est de nature à interpeller une adolescente éveillée aux problèmes sociaux: comment peuvent-ils être si différents et si démunis? Il faut aider les missionnaires à les secourir, conseillent les moines. Ils visent essentiellement une aide financière; éventuellement des vocations, masculines, bien sûr.

Madeleine a décidé de ne pas se marier. La seule manière de sortir à la fois de l'impasse socialement inacceptable du célibat et des remontrances familiales est d'entrer au couvent. Là, elle priera pour les missionnaires, s'occupera de l'éducation des filles, et préparera des paniers de provisions pour les pauvres. Son projet est arrêté. Des moniales sont d'accord. À la première occasion, elle les rejoint.

On imagine — les biographes sont muets sur les circonstances — qu'un beau soir, entre chien et loup, avec la complicité de ses fidèles servantes et des religieuses, elle file chez les clarisses avec la ferme intention d'y rester et d'y finir ses jours, en dépit de ses parents qui, évidemment, n'auraient jamais donné l'autorisation.

Après tous leurs deuils, Guillaume et Jeanne sont une fois de plus atterrés. Ils viennent de perdre la dernière de leurs enfants. Arriveront-ils à la faire revenir sur sa décision?

En principe, une jeune fille ne peut prendre l'habit sans le consentement de son père. Mais la détermination de Madeleine est si vive que les religieuses l'ont acceptée malgré tout. Guillaume déploie alors tous ses talents d'homme d'affaires et de négociateur pour la retirer du couvent. Un jésuite vient expliquer à la postulante «que Dieu veut qu'elle rendisse obéissance à ses parents, pour qui elle a toujours eu le plus grand respect». Elle finit donc par s'incliner, espérant que père et mère ne lui trouveront pas un parti trop désagréable.

Deuxième partie

JEUNE MARIÉE EN PROVINCE

5

UNE HÉRITIÈRE ÉPOUSE
UN CHEVAU-LÉGER

Il ne reste du mariage de Madeleine que son contrat[15]. On en connaît donc la date et le lieu, ainsi que le nom des témoins figurant sur l'acte. Aussi ce chapitre a-t-il été construit en fonction des travaux historiques publiés sur l'époque ou l'endroit. Nous essayons d'être fidèle à la topographie de la région d'Alençon et du Mêle, et à la psychologie des personnages, telle qu'elle transparaît dans les documents de base.

La scène se déroule à Alençon, à la fin du printemps de 1622.

Madeleine a dix-neuf ans. Elle sort du couvent et veut absolument aller à Rouillé-Haranvilliers, l'une des terres de son père. Celui-ci est d'ailleurs bien convaincu qu'il doit l'y conduire.

---

15. Ce contrat de mariage a été publié par OURY (1974), p. 139-144. Le testament de monsieur de La Peltrie figure dans le même ouvrage, p. 145-149.

Depuis l'automne précédent, il se doute de quelque chose qui lui est agréable, et essaie de persuader sa digne épouse.

— C'est la Pentecôte, Jeanne, elle veut partir couper des gerbes de cytise. J'aime ces grappes d'or. Elles illuminent le manoir. Tu préfères la voir courir la campagne plutôt que moisir au couvent, non?

— Les fleurs sauvages sont vulgaires, mon cher Guillaume, et Rouillé, demeure trapue d'un seul étage, est plus une ferme qu'un manoir en dépit de sa grosse tour ronde. Nous n'y tenons pas notre rang. D'ailleurs, à force de s'exposer au soleil, elle finira par avoir le teint noir et ressembler à une paysanne. Je ne comprends rien aux goûts de Madeleine. Mais je connais sa chanson. Ce sera le temps des fraises puis celui des mûres. Elle partira encore en cavale avec son inséparable Marie Le Gorren et trouvera toujours quelques valets disposés à l'accompagner. On l'a même vue, l'automne dernier, monter une expédition pour aller aux cèpes, à cinq lieues, en forêt de Perseigne et renouveler cette randonnée pour les chanterelles. Elle en oublie ses chers pauvres de l'Hôtel-Dieu.

— Je sais. Un valet m'a averti. Comme par hasard, le jeune Charles de Gruel se trouve de plus en plus souvent sur les chemins autour de Rouillé. Il poussait même ses dévotions à l'abbaye cistercienne de Perseigne à la saison des champignons. Comme c'est curieux!

— Ce manège a assez duré. On m'a fait remarquer que le petit neveu de ton vieil ami descend de cheval à chaque rencontre soi-disant fortuite et s'empresse d'aller la saluer. Ta fille, si réservée avec d'autres — elle néglige des partis inouïs — se montre émue et complaisante auprès de Charles. Cela devient compromettant.

— Les regards qu'ils échangent sont de plus en plus prolongés, voire de braise, ajoute la vieille gouvernante assise au coin du feu, tout en filant sa laine. Sous prétexte d'enjamber un ruisseau ou de traverser le chemin creux et boueux, on se frôle tout naturellement, et avec plaisir.

Il y a réciprocité de tendres sentiments entre Madeleine et Charles de Gruel, reconnaissent les serviteurs, y compris les moins clairvoyants. Les Gruel auraient même déjà tendu une perche discrète dans le sens d'une demande en mariage, qu'ils ne voudraient pas voir refuser.

Les parents hésitent. Depuis la mort de René, l'aîné et seul survivant mâle de la famille, la situation financière de Madeleine, on le sait, a changé. Au lieu de recevoir une dot équivalente à celle de sa sœur et dont le prélèvement sur la fortune du père aurait laissé un héritage confortable à René, elle peut désormais bénéficier de beaucoup plus. Avec une très belle dot, le charme, la gentillesse et la beauté qu'on lui prête, elle pourrait faire accéder les siens aux sommets de la noblesse et leur procurer par alliance le lustre que le défunt ne peut plus leur assurer.

Devant l'évidence d'une idylle qui n'a plus rien de secret, Guillaume et Jeanne font le bilan des avantages et des inconvénients de la situation. Pour: la très ancienne noblesse des Gruel, qui remonte au moins au XIᵉ siècle. On trouve un Gruel à Jérusalem, aux côtés de Godefroy de Bouillon, dès la première croisade. Le roi saint Louis en personne a été leur hôte au château de La Frette en l'an de grâce 1257. La défunte mère de Charles, Jeanne d'O, appartient à l'une des plus anciennes familles de Normandie. Le marquis François d'O contribua à la conversion de Henri IV. Enfin, le grand-oncle de Charles était un ancien compagnon d'armes du père de Madeleine.

Contre: la position de Charles dans sa famille. C'est un cadet, il n'a donc droit à rien, d'après la Coutume: ni titre ni fortune. De plus, le marquis François d'O, mignon du roi Henri III, traînait une réputation douteuse. Enfin, on n'est pas sûr que le père de Charles soit très bien vu à la cour depuis que son grand-oncle Charles de la Frette de Saint-Loup — l'ami de Guillaume — en a été éloigné, à la suite d'une conspiration fomentée par des défenseurs déçus du roi Henri IV (ce qu'on a appelé l'affaire de Biron, exécuté en 1602).

Chacun des parents mène une véritable enquête. Guillaume consulte Messire de Sainte-Croix, recteur de Saint-Aubin, paroisse de Rouillé, et même le curé de Sainte-Scolasse, voisine de Touvois, terre du père de Charles, située à Bures, également près de Rouillé. Les deux ecclésiastiques ont remarqué le manège entre Charles et Madeleine, et Guillaume est bien heureux de se faire dire que «les jeunes gens s'aiment, condition essentielle d'un mariage réussi. De les vouloir forcer en leur choix, c'est attenter au-dessus de Dieu même, qui a créé l'homme libre[16]». On le sermonne gentiment: Êtes-vous guidé par l'intérêt, l'ambition, ou le bien de votre fille? N'abusez surtout pas de votre droit dictatorial de père de famille. Il est ravi. Ce sont les arguments qu'il lui fallait pour convaincre son épouse Jeanne. D'ailleurs, le notaire a pour eux une bonne nouvelle: Charles héritera d'un fief de sa grand-mère Françoise de Bubertré, à Bivilliers, près de Tourouvre au Perche.

De son côté, Jeanne apprend par son frère que les Gruel sont plutôt bien considérés à la cour. Les deux fils Gruel de Touvois, Charles et son frère aîné Claude, sont capitaines de compagnie de chevau-légers pour le service de sa Majesté Louis XIII.

Soucieuse de son rang social, Jeanne du Bouchet finit par reconnaître bien des avantages à cette alliance. Pour comble, Madeleine plaît à la famille Gruel. Les pressions sympathiques se multiplient. Il n'en faut pas plus pour que la jeune fille

---

16. Arguments empruntés à Camus, *op. cit.*, p. 81.

reçoive l'ordre — autorité paternelle oblige — d'épouser celui que son cœur a choisi. Le grand mariage a lieu.

C'est le couronnement de la carrière de Jeanne du Bouchet de Maleffre et Guillaume (Cochon) de Vaubougon de Chauvigny. Côté finance et magnificence, ils échangent leur fille, auréolée des trois mille livres de sa dot, contre une alliance prestigieuse avec la plus vieille noblesse de France et de Navarre, qui depuis des siècles arbore un blason d'argent à trois fasces (bandes) de sable noir. Le contrat est signé devant les notaires du Mêle, village proche de Rouillé-Harenvilliers.

Les «tabellions» se sont, pour la circonstance, déplacés chez l'oncle et la tante de Boisgervais, près d'Alençon, ce 29 octobre 1622. C'est plus pratique pour recevoir les témoins, notamment la grand-mère de Charles, la fière Françoise de Bubertré, dame de La Peltrie, qui porte une petite coiffe de veuve à l'ancienne, dite chaperon, dans le style Catherine de Médicis[17]. Les familles Gruel de Touvois et Gruel de la Frette sont là au grand complet: père, oncles et tantes, frères, sœurs, beaux-frères et cousins.

Du côté des Chauvigny, outre les parents, oncles et tantes, il y a la demi-sœur et marraine de la mariée, dont le mari Jacques de Valpoutrel de Querville signe le contrat comme témoin; de nombreux cousins et amis des parents, principaux notables d'Alençon. Le vieux Guillaume, la barbe taillée à la Henri IV, qu'il admirait tant, arbore pourpoint et fraise tuyautée, la tête couverte d'un large chapeau de feutre — en castor —, cachant l'éternel calot de maroquin qu'il porte d'habitude.

Une fois le contrat signé, la jeune compagnie se dirige à cheval vers l'église Notre-Dame d'Alençon, tandis que les dames

---

17. Ceci est inspiré des images et commentaires d'Abraham Bosse. Voir en bibliographie BLUM (1924) et HABERT *et al.* (1985). Nous emprunterons aussi à Bosse les discours des mariés.

45

plus âgées voyagent en litière. La cérémonie est célébrée avec faste: grandes orgues, messe chantée, chœur. Puis le cortège, Charles et Madeleine en tête, sort par le porche de la belle façade ouest de l'église, flanqué de deux tourelles du XVIᵉ siècle, surmonté d'une haute balustrade, une de ces merveilles du style gothique flambloyant qu'on peut encore admirer de nos jours.

Comme le veut la coutume et grâce à la complicité de quelques jeunes — qui avaient bien préparé leur coup — les mariés lancent généreusement des piécettes à la foule rassemblée sur la place. Ce qui provoque une joyeuse bousculade. Les commentaires fusent.

— La Madeleine, elle a aidé plus d'une famille dans le besoin, lance une femme, l'air entendu. Elle n'a pas peur de traverser la ville et d'aller voir les faubourgs. On peut pas dire qu'elle se prend pour une importante. Toujours un sourire et des mots gentils!

— Le jeune chevalier de Gruel n'enverrait jamais un autre se faire tuer au combat à sa place! Un vrai noble!

Verts de jalousie — on n'en disait pas tant le jour de leurs noces — la sœur aînée Marguerite et son mari Georges de la Queustière, prétextant la maladie d'un enfant, profitent du brouhaha pour s'éclipser en vitesse.

Puis Guillaume offre en son château de Chauvigny une des plus belles réceptions imaginables en Normandie. C'est l'été de la Saint-Martin. Il fait beau et chaud en cette fin octobre. Le soleil fait miroiter le taffetas des jupes et souligne les contrastes des robes de droguet, cette étoffe de soie à reflets, aux couleurs vives. Les plus belles dentelles d'Alençon — point de coupé et point de velin — ornent les collerettes et les poignets. Les hommes en portent encore plus que les femmes. Les uns ont l'épée attachée au côté, d'autres, la canne à la main.

UNE HÉRITIÈRE ÉPOUSE UN CHEVAU-LÉGER

Charles et Madeleine forment incontestablement le plus beau couple, splendides et souriants comme des princes. Le teint blanc et poudré à souhait, la mariée porte une longue vertugade, robe de dessus découverte en velours noir, laissant voir une jupe de dessous en taffetas jaune-or, telles les feuilles d'automne; col et poignets en dentelle. Ses cheveux sont séparés en trois parties. Frisés sur les tempes et les oreilles, ils sont retenus par un léger serre-tête noir; un chignon les rassemble en arrière. Charles est coiffé d'un caudebec (chapeau de feutre de castor empanaché de plumes d'autruche, à la mousquetaire), manteau beige, court et souple, fixé sur l'épaule, pourpoint orné d'un col de dentelle à rabat découpé et de brandebourgs, ouvert sur un gilet de chamois boutonné, haut de chausses bouffant, bottes à revers d'où s'échappent des rubans: un vrai chevau-léger paré pour plaire à la dame de son cœur.

On boit à leur santé. Eux lèvent leur verre aux invités, à la vie devant eux, à la nombreuse postérité qu'on leur souhaite et qu'ils désirent. Le vin d'honneur apéritif est un bouquet de compliments:

— Nous avons fait autrefois ce que ces jeunes gens vont faire... Les enfants qu'on met au monde en produisent d'autres aussi, disent les pères. Les mariés jouent le jeu, rabâchant des lieux communs avec le plus exquis des sourires. Charles proclame en public:

— Est-il bien possible, Madeleine, qu'aujourd'hui, me donnant ta foi, tu brûles de la même envie que j'ai de n'aimer que toi?

Et elle de répondre, intrépide et sans rougir le moins du monde:

— Charles, pour qui je soupire, je te jure qu'à l'avenir, je veux vivre sous ton empire et mourir dans ton souvenir.

On applaudit et le banquet met fin aux formules de circonstance. On s'engage pour la vie. Une vie qui ne dure pas toujours longtemps.

Quand les invités s'assoient le long de l'immense table en fer à cheval disposée dans la plus grande salle du château, les nappes blanches sont déjà ornées de pâtés de poisson des riviè-res et des étangs voisins — carpes, brochets, tanches ou anguil-les. Suivent les pâtés d'oiseaux: une douzaine de merles pour six convives, à moins que ce ne soit de petits passereaux[18].

Arrivent ensuite les potages, puis les venaisons des forêts de Perseigne et d'Écouves: sangliers ou chevreuils. En attendant les services, les propos fusent tout autour de la table. Admiratif, un convive fait valoir sa bonne connaissance des Gruel, qui descendraient des rois de France. Il évoque Raoul de Gruel, un de ceux qui ont rétabli la famille royale de France, par le traité d'Arras en 1435.

Voulant à son tour faire valoir le rang prestigieux de Guil-laume Cochon de Vaubougon, quelqu'un souligne qu'il a servi dans la compagnie d'Odet de Matignon, comte de Thorigny, en qualité d'archer, lors du voyage de feu Monsieur le Duc de Joyeuse à Bois-Bury en 1585. Il a même reçu un certificat en 1588.

— Marguerite brille par son absence, remarque une invitée.

— La noblesse des Gruel et leur attachement à Madeleine lui sont insupportables, ajoute une mauvaise langue, la dot de Madeleine est considérablement supérieure. Ce pauvre Georges n'a pas caché son dépit au sujet de l'«injustice». Et telle une pythie, elle prophétise: chez les esprits mesquins, la jalousie devient vite de la haine.

— On ne voit pas non plus les cousins Josias et Nicolas Le Hayer, chuchote une autre. Ils traînent une vieille querelle d'ar-gent avec les Chauvigny. Je vous parie que Madeleine aura du fil à retordre avec eux.

On sert à chacun un petit verre de bonne eau de vie de

---

18. Le menu est tiré de Ketcham-Wheaton (1984).

cidre, cependant que, pour amuser la galerie, on apporte, entre deux services, un immense pâté en croûte, qu'un maître d'hôtel, armé d'un grand couteau, ouvre avec délicatesse: s'en échappent un couple de colombes blanches, aux grands applaudissements de la compagnie.

Les valets en procession présentent alors un cochon de lait lardé, précédé et suivi d'énormes dindes farcies de pigonneaux, palais de bœuf, champignons, truffes, fonds d'artichauts, crêtes de coqs, rognons de moutons et ris de veaux. Sans oublier les salades.

Les invités sont ravis, mais essaient de ne pas avoir l'air étonnés: des artichauts, s'exclame un convive venu de Saint-Malo, relation d'affaires de Guillaume — ce pourrait être Dupont-Gravé, le compagnon de Champlain — comme elles sont belles et bonnes, ces nouveautés venues d'Amérique! Il monopolise la conversation, pérorant sur les merveilles américaines qu'il a eu le privilège de goûter et dont les autres n'ont pas encore la moindre idée. Ah, les petits pois, si vous connaissiez! Le gibier du Canada: l'ours, l'orignal, quelles saveurs! Sans compter que les fourrures...

— Remarquez, dénigre à voix basse un Gruel — en aparté avec un autre — que toutes les denrées rares et chères de cette table font un peu nouveau riche.

— Chacun sait — est-il répondu sur le même ton de conspirateur — que ce bourgeois n'est gentilhomme que depuis fort peu de temps.

— La petite est charmante. Il suffit qu'elle soit quelque part, pour semer la bonne humeur. Et sa dot est fort convenable. Bien sûr, cela n'a rien à voir avec les dizaines de milliers de livres de celle d'une épouse d'intendant[19]. Mais pour un cadet,

_____

19. Voir DUBÉ, (1984) *Les intendants de la Nouvelle-France.*

qui est beaucoup plus beau, courageux et sympathique qu'avisé en affaires, en stratégie ou en politique, on ne pouvait espérer plus.

— Savez-vous, tranche d'une voix forte la douairière Françoise de Bubertré clouant ainsi le bec aux mauvaises langues de son clan, que les premières dindes arrivées dans la région d'Alençon avaient servi de jouet, si l'on peut dire, à Jeanne d'Albret, fille de Marguerite de Navarre et mère de Henri IV, lorsque, petite fille, elle venait séjourner en Normandie?

Et la conversation s'oriente sur les poules d'Inde, leur moelleux, leur finesse, dont Marguerite de Navarre avait favorisé le développement dès leur arrivée à Saint-Malo, une centaine d'années plus tôt.

Tout en parlant, chacun essaie de ne pas toucher la nourriture avec les doigts et se débat comme il peut avec ses os, sa fourchette et son couteau. Il y a des gens de cour parmi les invités, on se veut à la pointe de la mode, et l'on tente d'utiliser le nouveau trio couteau-fourchette-cuiller. Mais il est difficile de trop forcer la nature, et des valets apportent souvent de petites cuvettes de terre cuite pour se rincer les mains, tout en se tenant prêts à apporter, au moindre signe, un gobelet de vin, de cidre, ou de poiré, que le convive avale d'une traite sur le champ. Il n'y a pas de verres sur la table.

Après les fameux fromages venus tout exprès de Camembert, les fruits sont rois, accompagnés de crème fouettée. Mais les poires et les pommes fraîches du pays échafaudées en pyramide dans des coupes de faïence bleue et blanche, ne figurent que pour la décoration. On se régale de délices rares et chères: les fruits déguisés — enrobés de sucre — ou confits, et les tartinages ou autres confitures commandées à l'apothicaire par le pâtissier, pour fourrer ses pièces montées ou garnir ses tartes. Soucieux que rien ne se perde — c'est le côté bourgeois de Guillaume, noble, mais encore économe — on fait rapidement desservir la table après chaque service. La générosité des maîtres — ou leur sens de la justice — est évidente. Ils veillent à ce que l'on fête à la cuisine: la champlure de la barrique de cidre est souvent ouverte et les restes sont distribués à toute la domesticité, et même aux voisins pauvres plus ou moins appelés à l'aide.

Après le repas qui a duré des heures, la danse. Madeleine et Charles ouvrent le bal avec un menuet parisien, pour plaire aux gens de cour. Mais la majorité préfère la ronde normande, au son du violon et surtout des musettes. Charles prend sa femme par la taille, elle attrape la main de son beau-frère Claude de Touvois qui en fait autant avec sa voisine, et ils déroulent une farandole qui se refermera quand les serviteurs auront fini d'enlever planches et tréteaux de la table. Dans la petite confusion qui suit le début de la deuxième ronde — au moment où l'on change de sens — Charles et Madeleine s'éclipsent et partent nuitamment à cheval vers la terre de Rouillé-Harenvilliers, dont l'usage fait partie de la corbeille de noces, et pour laquelle ils éprouvent beaucoup de tendresse. Personne ne pourra les y retrouver. Ils échapperont ainsi aux plaisanteries douteuses qui, dans les campagnes, réveillent les jeunes mariés au matin de leurs épousailles.

6

UN PERCHE OÙ COUVE L'AVENTURE

Une filière bénédictine nous a conduits autour d'Alençon, chez
les ancêtres de Madeleine, depuis le temps de Jacques Cartier
jusqu'à celui de Champlain. Après le mariage de notre héroïne
en 1622, sa trace se déplace dans le Perche, où l'on trouve,
publiés essentiellement dans les *Cahiers Percherons*, les résul-
tats des travaux de madame Pierre Montagne, qui a déchiffré les
minutiers des notaires locaux, les registres paroissiaux, les
ouvrages des bibliothèques spécialisées, afin d'établir la généalogie des premiers colons venus du Perche en Nouvelle-France
et fondateurs de la société laurentienne. Pour avoir accès à certains documents, elle a dû obtenir des autorisations spéciales,
sécher délicatement d'antiques feuilles moisies, constater la
mystérieuse disparition de liasses de documents qui peut-être
auraient révélé sur Madeleine de La Peltrie des détails fort inté-
ressants. Laissons les hypothèses pour tenter d'aligner des faits
bien établis sur la vie percheronne de Madeleine de Chauvigny,
épouse de Charles de Gruel.

*
* *

Bivilliers, fin 1622.

Voici donc Madeleine dans la famille Gruel. Les jeunes mariés séjournent souvent à Rouillé-Harenvilliers chez les parents de Chauvigny, et parfois à la Peltrie dont Charles doit hériter après la mort de sa grand-mère. Là, ils partagent leurs heures avec le vieux père Gruel quand il est là et Françoise de Bubertré, très présente. Ce qui pourrait poser un gros problème. Mais elle s'éteint peu après le mariage et laisse à Madeleine deux inestimables cadeaux: sa place de châtelaine et le titre de dame de La Peltrie. Désormais, il n'y aura plus de Madeleine de Chauvigny, excepté dans certains actes notariés. Par son père, elle était normande et bourgeoise anoblie. Par son mariage, elle devient percheronne et noble.

La Peltrie est un grand manoir, sis à quelques centaines de pieds du village de Bivilliers. Il faut compter moins d'une lieue pour se rendre au gros bourg de Tourouvre; deux, pour aller à Mortagne; douze, à l'est, pour Alençon. C'est une fort jolie demeure que ce manoir. Le bâtiment principal, reconstruit au XVe siècle après la guerre de Cent Ans, rénové un siècle plus tard, comporte une porte majestueuse entourée de cinq fenêtres Renaissance. On vient tout juste de terminer une autre aile, plus simple, avec une chapelle. À la jonction des deux corps de bâtiment, une belle tour extérieure donne à la construction une allure de château. Sur la façade ouest, un cadran solaire indique l'heure, les jours de beau temps. Les dépendances, granges, colombier, jardin, sont réparties tout autour. Une cuisine toute neuve donne sur la cour intérieure. À côté, un escalier de bois sombre muni d'une rampe élégante invite à monter aux étages.

UN PERCHE OÙ COUVE L'AVENTURE

Au premier, les appartements des maîtres. En haut, les chambres des suivantes et domestiques. Probablement Marie Le Gorren, quelque vieille gouvernante, des valets, sans oublier le fidèle Lavigne, valet de Charles, ni son laquais, Aubert de Montcherval. À l'est du château, la mare, ses cygnes, ses canards, ses carpes et ses tanches. Derrière les grands pommiers et poiriers, on voit pointer la flèche de la petite église de Bivilliers. Au fond du vallon coule la minuscule Commauche, affluent de l'Huisne, qui se jette dans la Sarthe, affluent de la Loire. Le nord du Perche se trouve sur une ligne de crête, partage des eaux vers la Manche, la Seine et la Loire. Le paysage est idyllique. Et un peu ennuyeux, surtout si l'on doit y rester.

*

* *

La Peltrie existe toujours. Mais la tour s'est effondrée depuis le XVIIe et le manoir, bien délabré, attend preneur pour être restauré. L'escalier où bondissait Madeleine est toujours debout, avec la rampe où elle a si souvent posé sa petite main. La grande cuisine ne demande qu'à être refaite. Le cadran solaire n'a pas bougé. Qui trouvera les moyens de rendre à ce charmant manoir sa fière allure du passé?

*

* *

Quant aux alentours de la Peltrie, Madeleine y a sans doute plus d'une fois chevauché avec son jeune époux. Près du point culminant du Perche, au nord de la province, la dernière nouveauté: le manoir en construction des La Vove, au dessus de Tourouvre. Vers le sud, d'est en ouest, des forêts. Un peu à l'est, Tourouvre et son clocher, construits sur un éperon rocheux. Plus loin, Mortagne-au-Perche, perchée sur une crête, comme son nom l'indique. Au nord, une grande forêt où l'on ne s'aventure pas à la légère. Du côté de la très ancienne abbaye, dite de la Grande Trappe, on risque de se perdre dans les marécages, et des bandits se cachent au creux de certains vallons.

*

* *

Dans le premier tiers du XVIIe, les mœurs des moines — qui, au XIIe ou peut-être même avant, avaient défriché les grands bois et y avaient organisé la pisciculture — s'étaient relâchées. Mais l'abbé de Rancé, venu de l'abbaye de Perseigne, viendra y mettre de l'ordre. Lors de la famine de la fin du siècle, à un moment où les Percherons ne pensent plus guère à venir en Nouvelle-France, ce sont ces cisterciens devenus trappistes, un nom promis à un long avenir, qui apporteront assistance et ré-confort aux pauvres. La Grande Trappe a ensuite fondé l'abbaye de Bellefontaine, au sud de Nantes, laquelle a donné naissance à l'abbaye cistercienne d'Oka, près de Montréal et du territoire amérindien de Kanesatake.

*

* *

Au XVIIe, les grands bois du Perche constituent un centre d'activité intense. Les Percherons ne seront pas dépaysés en Nouvelle-France. La forêt est leur domaine.

Quand Madeleine arrive à Bivilliers, à la fin de l'automne 1622, les cognées des plus proches bûcherons retentissent, et en écho leur répondent les haches lointaines. Parfois, tout d'un coup, survient le grand bruit d'avalanche des grands chênes qui se déchirent et s'écrasent au sol. Ailleurs, des charbonniers au visage noirci s'affairent autour de dômes fumants.

Le seigneur de Tourouvre est Robert II de la Vove — quarante-huit ans en 1622 —, sa femme, Marguerite Hurault. Marguerite est la cousine par alliance, côté maternel, de Madeleine qui ne peut recevoir chez eux que le meilleur accueil. Par ailleurs, Françoise de Bubertré, la grand-mère de Charles, orpheline dans sa jeunesse, avait eu pour tuteur le riche et puissant Robert I de la Vove, aïeul de Robert II.

Les La Vove descendent des Tournebœuf, ainsi nommés d'après une très ancienne histoire.

Vers l'an 920, le Viking Rollon Ier, nouveau duc de Normandie, traversait la province que les razzias de ses hommes avaient fini par obtenir du roi de France, neuf ans plus tôt. Tourouvre était sur le chemin du cortège. Heureux d'une paix qui s'était fait désirer, les habitants ménageaient au vainqueur, ainsi qu'à son épouse Gisèle, un accueil particulièrement chaleureux. Or un bœuf, devenu furieux au bruit des trompes de guerre, ou à la vue des vives couleurs des oriflammes, bondit sur la jument blanche montée par la duchesse. Rapide comme l'éclair, un guerrier du cortège prit l'animal par les cornes et réussit à faire perdre l'équilibre au bovin furieux, le faisant choir, les pattes en l'air. Le jeune homme saisit alors la bête aux naseaux et, d'un geste précis de torero, lui enfonça l'épée dans le cœur. Rollon voulut sur-le-champ récompenser le héros et lui conféra, ainsi qu'à ses descendants, le titre noble de sire de Tournebœuf. De père en fils, la famille traversa les siècles pour finir en quenouille (sans héritier mâle) avec Michelle de Tournebœuf, qui épousa en 1456 Pierre de la Vove, cadet d'une des plus anciennes maisons du Perche. Ainsi naquit la branche des La Vove de Tourouvre dont Robert II est le cinquième descendant.

Cette lignée a fait connaître le nom de Tourouvre sur les champs de bataille et à la cour de France. Vers 1620, Robert est un riche et puissant propriétaire, intelligent, cultivé, ouvert au progrès technique, prêt à transmettre à ses fils le goût de développer les mines de fer de la Fonte, les hauts fourneaux de Randonnai, l'industrie du bois et celle du charbon de bois, mais aussi la morgue des familles de la vieille noblesse. Il est à cent lieues de penser qu'à l'avenir Tourouvre sera célèbre grâce à ses industrieux habitants, émigrés en Canada.

Même s'il arrivait aux Normands de le traverser, entre leurs fiefs de haute et de basse Normandie, le Perche est toujours demeuré une province distincte. Après la conquête de l'Angleterre, en 1066, par Guillaume le Conquérant, duc de Normandie, le Perche devient zone frontière. Les Anglo-Normands attaquent de plus en plus la France. La situation se détériore lorsqu'Aliénor d'Aquitaine divorce en 1152 du roi de France pour épouser celui d'Angleterre. Le roi saint Louis récupère la Normandie en 1259. Un siècle plus tard, les Anglais la reprennent. Suit la guerre de Cent Ans qui ne se terminera qu'après Jeanne d'Arc, en 1453. Mais à quel prix! Villages dévastés, églises démolies. Il ne reste plus que deux sanctuaires romans, à Autheuil, où naîtra Robert Giffard vers 1587 et à Champs, berceau, en 1625, de Louis Guimond — deux futurs colons qui feront parler d'eux.

Les guerres et leurs ravages entraînent certains jeunes gens de familles bien connues à s'expatrier, comme arbalétriers à Londres, ou à Romorantin, coin reculé du centre de la France. En ce début de XVIIe siècle, agriculteurs et bûcherons n'hésitent pas à émigrer en Île-de-France, quitte à revenir au pays ensuite. Les femmes, se font connaître par les toiles qu'elles tissent à la maison. Elles mettent au point la catalogne, qu'elles utiliseront ensuite en Nouvelle-France pour transformer en couvertures leurs étoffes usées. Un procédé que des soldats avaient remarqué dans la région de Barcelone, lors d'une campagne contre l'Espagne.

Madeleine prend sa place d'épouse de Charles de Gruel de La Peltrie. On l'appelle «haute et puissante dame». Elle fait connaissance avec les uns et les autres, fréquente tout le monde, même les enfants, qu'elle adore. Demandée comme marraine à des baptêmes, on la voit tenir le bébé dans ses bras, sur les fonds baptismaux de l'église[20].

Quelques années plus tard, arrive enfin la nouvelle tant attendue. Madeleine est enceinte. Mais la jeune femme doit rester consignée au manoir. Finies les promenades à cheval! Au milieu des domestiques, elle essaie de mener l'existence rustique et sans surprise des petits hobereaux de la province profonde, zone sociale grise, ni brillante comme celle des grands seigneurs, ni active comme celle des artisans ou des marchands. Pendant ce temps, Charles est parti fréquemment rejoindre sa compagnie de chevau-légers. Prudent, le 9 novembre 1624, il a rédigé son testament:

Charles de Gruel, seigneur de la Pelleterye, par la grâce de Dieu sain de corps et d'esprit, désirant aller au devant des périls de la mort et craignant d'être surpris... me souviens du passé, dispose du présent et préviens le futur... De notre corps et de nos biens et tout cela nous en ordonnons de la façon qui s'ensuit: En premier lieu nous avons choisi pour le lieu de notre repos et de la sépulture de notre corps le chœur de l'église... ce que tout néanmoins je remets sur l'amour et affection que me porte ma femme... Que quantité de pauvres soient appelés pour assister et prier Dieu pour moi...Nous laissons aux religieux de... aux religieuses

---

20. Les fonds baptismaux de Bivilliers ne semblent pas avoir changé depuis. L'église non plus, mais une abside lui a été ajoutée.

59

de... Nous donnons à Lavigne qui est à notre service perjà longtemps un habit tout complet de deuil et un autre de neuf qui lui sera convenable selon sa condition... en outre deux cents livres pour les bons offices qu'il m'a rendus... le second de mes chevaux, une paire d'armes et une paire de pistolets, lui commandant de rester auprès de ma femme pour la servir fidèlement... Nous donnons à Aubert de Montcherval, qui est mon laquais... cinquante francs pour lui faire apprendre un métier, ou se «mettre en marchandise» (fonder un commerce), comme il voudra. Nous recommandons particulièrement Messire de Sainte-Croix, curé de Saint-Aubin, Monsieur le curé de Sainte-Scolasse, à Messieurs mes frères... Nous laissons en don à notre chère épouse tous nos meubles, tant vifs que fermages..., le revenu de notre bien, trois ans durant... nous faisons... donation de tous nos... immeubles... à notre chère épouse à considération de l'amitié qu'elle nous a toujours témoignée, et des bons et agréables services qu'elle nous rend et a rendus par le passé, ainsi que tant de charités que nous espérons qu'elle continuera jusqu'à la fin...

Pendant que Charles s'en va-t-en guerre, son épouse brode pour bébé. Dieu merci, de nombreux visiteurs passent par La Peltrie. Les barrières sociales que Louis XIV imposera plus tard n'existent pas encore. Nobles et riches marchands se fréquentent à leur gré.

La contrée est active. On fond le minerai de fer depuis des siècles dans la clairière de Brésollettes. Au village voisin, Conturbie, charbonniers, ferroniers, bûcherons, sabotiers et cultivateurs se rencontrent, autour de la fébrilité suscitée par les fourneaux, les grosses forges, la tréfilerie (fabrique de fils de fer).

La vie tourne autour de l'église Saint-Aubin de Tourouvre, mais aussi de l'auberge du Cheval Blanc, propriété d'un certain

Macé Pichon que tout le monde connaît. C'est dans cette grande salle que l'on discute des questions importantes, sous le fréquent arbitrage du dynamique marchand Henry Pinguet. Ici seront signés tous les contrats des futurs colons. En attendant, bien-séance oblige: s'il y a un endroit où Madeleine ne peut pas mettre les pieds, c'est bien là. Mais servantes et valets se char-gent certainement de lui rapporter religieusement des propos que plusieurs chopines de cidre ou de vin n'épuisent pas.

Il y a du travail pour tout le monde. Mais les profits vont aux seigneurs et le partage des terres entraîne le morcellement des patrimoines. La vie est dure. Dans chaque famille, seul le fils aîné peut s'en tirer. Plusieurs ont le profond désir d'offrir à leurs rejetons une vie pleine d'avenir en retrouvant une situation perdue ou en voie de se perdre. D'autres rongent leur frein, qu'ils soient meneurs et marchands, comme les Juchereau ou Henry Pinguet; ou hommes de métiers comme Jean Guyon, tailleur de pierre, ou Gaspard Boucher, menuisier. L'horizon est bouché autant pour les Tremblay et les Gagnon, dont la lignée est en perte de vitesse que pour les Pelletier, en pleine ascension.

*
* *

Madeleine accouche d'une petite fille que la mort vient cueillir au berceau. Le 16 octobre 1626, Charles et Madeleine rédigent une donation mutuelle et réciproque au survivant d'entre eux. Quand Charles est absent, elle trompe la solitude de sa vie en allant à Mortagne rencontrer ses grandes amies, les sœurs Claire, Louise et Gabrielle Catinat, filles des seigneurs de Mauves-sur-Huisne, au sud de Mortagne. On y parle beaucoup d'un certain Giffard, un orphelin d'Autheuil près de Tourouvre qui court l'aventure en Nouvelle-France, malgré les dangers de l'Atlanti-que Nord.

Hôpital Robert Gifford, à Québe

Troisième partie

POLITIQUE ET MYSTIQUE
SOUS LOUIS XIII

7

LE SIÈGE DE LA ROCHELLE

Bivilliers, Perche, juillet 1628. La jeune dame de La Peltrie (vingt-quatre ans) est inquiète. Depuis de longs mois, son mari, Charles de Gruel, combat au siège de La Rochelle. Ses préoccupations s'avèrent fondées: un jour, dans la cour du manoir, réapparaissent, l'air lugubre, le laquais et le valet du maître de céans, à jamais disparu.

Étrange coïncidence: Madeleine devient veuve au moment même de la fondation de la «Compagnie des Cent-Associés», créée pour coloniser la Nouvelle-France, et du dénouement — heureux pour Richelieu et Louis XIII — du siège de La Rochelle, condition, entre autres, du libre passage des navires français en Atlantique Nord. Ceci influençant cela, les événements de La Rochelle valent un petit retour en arrière.

*
* *

Au début du XVIIe siècle, le gouvernement qui commande La Rochelle et l'île de Ré contrôle la côte ouest de la France, de Nantes à Bordeaux, pour ainsi dire de la Bretagne au Pays Basque. C'est un site stratégique entre l'Angleterre et l'Espagne, qui tiennent en étau le royaume de Louis XIII. Enviée, sûre de ses atouts, la cité se tient constamment sur le pied de guerre. Traditionnellement s'y affrontent deux nations, deux politiques, deux religions. De sièges en combats, d'approches diplomatiques en tractations subtiles, par voie terrestre ou maritime, France et Angleterre rivalisent depuis des siècles pour lui reconnaître des privilèges. Tout citoyen y est soldat. Les bateaux de commerce sont constamment prêts à se métamorphoser en navires de combat.

Depuis plus de dix ans, la ville, une des plus prospères du royaume de France, exhibe demeures cossues, magasins achalandés, rues bien pavées, port très bien défendu. Côté terre, les murs reliés entre eux par de solides fortifications ont résisté à cinq siècles d'assauts. À l'ouest, l'anse est protégée des flots de l'Atlantique par trois îles. Entre les deux tours de guet, on accède aux quais par un étroit passage. À marée haute, le port s'ouvre à tous les navires d'Europe septentrionale, d'Angleterre, d'Espagne, du Portugal, des Amériques. Au nord et au sud, des marais défendent l'accès de la cité, traversés par des routes aussi bien entretenues que surveillées.

Déjà française et encore protestante, La Rochelle doit au roi de France Henri IV de pratiquer en toute liberté le culte réformé et un lucratif commerce transocéanique. Mais depuis la mort du bon roi Henri, elle est sur ses gardes. Sa noblesse et sa haute bourgeoisie courtisent l'Angleterre devenue reine des mers, dont l'appui est indispensable pour la circulation des navires marchands.

Or le nouveau roi de France, Louis XIII, et son ministre, le cardinal de Richelieu, ont décidé d'équiper leur pays d'une flotte afin de protéger le commerce et d'établir des colonies. Ce qui provoque la colère du roi d'Angleterre, Charles Ier. Il somme Louis XIII — on se demande de quel droit, d'autant plus qu'il est son beau-frère — de «se départir du dessein qu'on lui disait qu'il avait sur la mer[21]».

La tâche d'assiéger La Rochelle est confiée au ministre de Charles Ier, le duc de Buckingham. Un homme on ne peut plus enchanté de cette mission contre la France. Il a une revanche personnelle à prendre sur Richelieu. Cet Anglais, amoureux agréé de la reine, Anne d'Autriche — curieux nom pour une reine de France née en Espagne —, aurait reçu d'elle des ferrets (bijoux) de diamant. On raconte que Richelieu a lui-même mis fin à l'idylle et ordonné à sa police de récupérer les ferrets. N'insistons pas sur les trois mousquetaires mêlés à cette histoire.

Toujours est-il que le 10 juillet 1627, bien décidé à vaincre la France, Buckingham se présente devant La Rochelle, avec cent navires et cinq mille hommes, sous prétexte de prêter main-forte aux protestants rochelais, en difficulté avec l'autorité parisienne catholique. Fermement résolu à s'installer à l'île de Ré, avec la complicité des citoyens de La Rochelle, il débarque juste en face de La Rochelle, à la pointe de Sablanceaux, extrémité sud-est de l'île de Ré. La grande plage tombe brutalement en mer. Même à marée basse, de gros navires peuvent s'approcher du rivage, à portée de pistolet.

Hélas, la garnison française de Ré ne comprend que deux cents cavaliers et deux mille fantassins. Disposés sur les dunes, ils ne pèsent pas lourd face à l'armée anglaise. De leurs navires, les Britanniques font donner l'artillerie. Fantassins et cavaliers français sont tués en grand nombre. Les survivants ripostent.

---

21. Correspondance rapportée par Carmona (1984); voir en bibliographie les références complètes et les autres sources concernant le siège de La Rochelle.

Tout le monde s'enfonce dans le sable. Le tiers des officiers anglais sera hors de combat. Mais, plus nombreux et aidés de volontaires rochelais, ils réussissent à envahir l'île. Seule la forteresse de Saint-Martin résiste. Buckhingham est ravi. Il estime qu'il a écumé «la fine fleur de la noblesse française». Sont tombés, en effet, des représentants de grandes maisons du pays: un Noailles, un Montaigne, et d'autres, dont le fils de Jeanne de Chantal, fondatrice des religieuses visitandines, père de celle qui deviendra célèbre sous le nom de marquise de Sévigné.

Heureusement pour la jeune madame de La Peltrie, Charles et ses chevau-légers ne sont pas à l'île de Ré, mais autour de la ville de La Rochelle, où l'on se soucie avant tout d'approvisionner la flotte anglaise et d'en tirer grand profit, sans trop s'inquiéter de la surveillance de l'armée française. Or, peu à peu, sept mille hommes, six-cents chevaux, vingt-quatre canons l'encerclent, sans compter les régiments d'élite: mousquetaires et chevau-légers, sous la conduite personnelle du jeune roi Louis XIII.

En août 1627, les troupes françaises prennent position devant la ville. Les vivres sont interdits d'entrée, même les nouvelles récoltes. La France n'attaque pas. Richelieu attend patiemment. En mer et sur l'île de Ré, Buckingham assiège toujours la garnison de Saint-Martin, qui tient. L'Anglais croit à la victoire: le roi de France n'a quasiment pas de marine. La France est dans une très mauvaise passe. Si les Anglais prennent La Rochelle, fini le commerce atlantique; adieu, les colonies d'Amérique; perdue, la Nouvelle-France.

De la chute de La Rochelle dépendent la cohésion de l'État français et sa capacité de s'imposer sur les mers. Richelieu, furieux contre les Rochelais, s'indigne devant son état-major: «Doit-on continuer à tolérer un État dans l'État, un allié permanent de l'étranger hostile, une brèche ouverte au flanc du territoire?» Il met toute son intelligence et son talent à essayer de vaincre l'Angleterre et gagner le siège. En attendant, à l'île de Ré, le fort de Saint-Martin est assiégé depuis le 10 juillet. Sa délivrance vaut la peine d'être racontée.

Ce fut une opération terrible, ponctuée d'actes de bravoure étonnants. Aux tout premiers jours d'octobre 1627, trois nageurs hors pair s'échappent du fort assiégé et plongent subrepticement vers la côte, en direction des troupes françaises qui encerclent La Rochelle. L'entrée du port et l'île, excepté le fort, sont contrôlées par la flotte anglaise. Le premier nageur, épuisé, succombe en mer. Le deuxième est pris par les Anglais. Le troisième, poursuivi, s'échappe, nage sous l'eau, et parvient enfin, plus mort que vif, porteur d'un message pour Richelieu, de la part du gouverneur de Saint-Martin: «Si vous voulez sauver la place, envoyez-moi du secours avant le 8 octobre, au soir. À ce moment, je n'aurai plus de pain et je me rendrai.»

Dans la soirée du 7 octobre 1627, une brume épaisse couvre la baie et la côte. La mer est houleuse. Quarante-six pinasses (voiliers munis de rames) réquisitionnées discrètement par Richelieu le long de la côte, de Nantes à Bayonne, se dirigent tous feux éteints vers les deux fanaux qui signalent la citadelle de Saint-Martin au bord de la mer. L'obscurité est totale; la nuit, sans lune. Quelques esquifs français se glissent entre les patrouilles anglaises. Mais un bruit de rame donne l'éveil. Pour semer la panique, les Anglais allument des feux partout sur l'île qu'ils occupent. On ne sait plus qui est qui. La flotte britannique forme un vaste arc de cercle, relié par de solides cordages. Les premiers voiliers français, dont les intrépides matelots font fi du sort qui les attend — mort ou prison — foncent sur le piège et attirent sur eux les navires anglais. Pendant ce temps, les autres pinasses vont approvisionner le fort de Saint-Martin. Au petit matin, les assiégeants anglais, tout aussi affamés, aperçoivent entre les créneaux du fort, des jambons de Bayonne et des chapons de Vendée embrochés sur les piques des soldats français toujours encerclés, mais rassasiés. Il faudra attendre un mois, et d'autres combats, pour que Buckingham et sa flotte soient obligés de partir. Finalement, le désastre est total pour lui. La France a récupéré l'île de Ré. Le ministre anglais a perdu la face à la fois devant ses ennemis et devant son pays, où il finit par périr assassiné.

Le siège de La Rochelle n'est pas terminé pour autant. Les troupes françaises sont prêtes à attendre le temps qu'il faut pour que la ville se rende. L'hiver passe. Richelieu fait construire une digue stupéfiante qui barre le chenal et interdit tout accès par mer. Il veille personnellement à l'entretien, au moral et à la nourriture de ses troupes. Un déploiement stratégique d'embarcations de toutes tailles, sur mer, et de troupes, sur terre, rend impossible tout débarquement, toute attaque du port et même tout ravitaillement de la place. Les Rochelais meurent littéralement de faim. Les mois d'hiver s'écoulent.

Au printemps 1628, la France et l'Angleterre sont toujours en guerre. Une nouvelle flotte anglaise vient croiser devant La Rochelle, sans pouvoir y entrer. Louis XIII lui-même, excellent artilleur, s'amuse à endommager un des navires, trop avancé vers la côte. L'armée française attend son heure. Le gouvernement déménage aux alentours de La Rochelle. On y expédie les affaires courantes, y compris celles du Canada.

*

* *

À la demande de Champlain, représentant du pouvoir français à Québec, Richelieu avait décidé de mettre en place un nouveau régime pour la Nouvelle-France d'Amérique du Nord et d'en faire «une puissante colonie, acquise au roi avec toute son étendue, pour une bonne fois, sans crainte que les ennemis de cette couronne la ravissent aux Français, comme il pourrait arriver, s'il n'y était pourvu[22]».

La colonie était alors gérée par la compagnie de Caen, une société de marchands exclusivement soucieux de «leurs intérêts personnels sans rien avancer pour le bien du pays». Champlain avait donc présenté un plaidoyer en faveur d'un changement. Il n'était pas le seul. Les pères récollets, puis les jésuites, avait dressé un long réquisitoire dans le même sens. Estimant que Richelieu n'était pas assez pressé d'intervenir, les jésuites dépêchèrent, en août 1626, de Québec à Paris, un homme bien placé pour se faire écouter, le père Philibert Noyrot, directeur spirituel du vice-roi de la Nouvelle-France, le duc Henri Lévy de Ventadour. Noyrot multiplie les démarches auprès du cardinal. Bien que lourdement préoccupé par les ennemis de l'extérieur — Maison d'Autriche et Angleterre —, et de l'intérieur — haute noblesse et protestants —, Richelieu s'intéresse de près au développement des colonies. Au même moment, Isaac de Razilly, un Tourangeau qui connaissait le Canada, rédige à son intention un mémoire sur la présence française en Amérique. La conjoncture est donc favorable pour Noyrot.

Dès le printemps 1627, Richelieu fait nommer une commission de six personnages. Finalement est créée une compagnie de cent associés, dite Compagnie de la Nouvelle-France. Son domaine est constitué de toute l'Amérique du Nord, connue et à connaître et va de la Floride au Pôle Nord. Elle a le monopole exclusif du commerce. Les nobles et les ecclésiastiques ont toute liberté, dans son cadre, de faire du commerce sans perdre leurs privilèges. Les descendants d'émigrants seront français. Il en

---

22. Les informations sur la Nouvelle-France viennent de TRUDEL (1979), CAMPEAU (1979).

71

sera de même pour les Amérindiens baptisés. La France est la première nation à accorder la naturalisation par le baptême. Les bourgeois pourront y être anoblis plus facilement. Un titre de qualification sera accessible, après un séjour de six ans, à tout ouvrier expérimenté. Par ailleurs, il y a de grandes dispenses de redevances (impôts et taxes). Les charges sont beaucoup moins lourdes qu'en France.

En contrepartie les Cent-Associés doivent, de 1627 à 1643, faire passer quatre mille émigrants, leur accorder des terres à défricher et s'occuper d'entretenir le clergé, car le premier but officiel de la compagnie est de convertir les Amérindiens. Ils n'atteindront guère tous ces objectifs.

En attendant, Richelieu — lui-même au nombre des Cent-Associés — réussit, avec l'aide de Noyrot, à conquérir différents pouvoirs pour avoir les coudées franches. Il devient vice-roi de la Nouvelle-France avec Champlain pour lieutenant général. Les autres membres sont de grands personnages de la cour, des marchands de Dieppe, du Havre, de Rouen, de Bordeaux, de Bayonne, mais ni de Saint-Malo ou de La Rochelle, et des bourgeois de Paris, dont plusieurs chapeliers. N'oublions pas que les chapeaux des nobles et des riches bourgeois sont en castor du Canada.

Madeleine de La Peltrie sera appelée à connaître plusieurs de ces Associés: ceux qui autoriseront sa traversée et celle des ursulines. À Paris, messieurs Poncet de la Rivière, père du jésuite Joseph-Antoine Poncet; le Commandeur de Sillery; François Fouquet; Louis Suramond; Jean de Lauson, Gilles Boissel de Senneville; à Québec, François Derré de Gand, Charles de Saint-Étienne de La Tour.

Depuis le printemps 1627, Richelieu a constitué l'acte d'établissement de la Compagnie des Cent-associés, également nommée Compagnie de la Nouvelle-France. Il fait même préparer à

Dieppe, dans le plus grand secret, l'envoi d'une petite flotte. Le 8 mars 1628, le cardinal ordonne à deux frégates et à une barque de mettre la voile vers Québec, avec, à bord, des colons, des artisans, des soldats et beaucoup de matériel de construction. C'est risqué, car l'Atlantique Nord est encore bien contrôlé par les Anglais, mais jouable, si le secret est bien gardé.

Louis XIII signe enfin, à La Rochelle, l'édit de fondation de la Compagnie des Cent-Associés; un navire part alors de Bordeaux avec la mission de rejoindre la flotte de Dieppe et de porter à Québec les documents signés. Ces quatre navires composent l'armement le plus considérable jamais fait pour la colonie d'Amérique du Nord.

Pendant ce temps, le siège traîne en longueur: la France finira par gagner. L'armée française entrera dans la ville et l'escadre anglaise reprendra la mer le 4 novembre.

En juillet 1628, Richelieu a fort à faire pour occuper ses hommes. Non seulement, il faut nourrir et entretenir les soldats, mais il est indispensable d'occuper les officiers, assoiffés d'honneur et d'action. Braves à en mourir quand il le faut, mais ils ne savent ni tenir un poste, ni monter la garde, ni, surtout, obéir. Lorsqu'ils ne combattent pas et qu'ils ne peuvent chasser, ils sont plus encombrants qu'utiles. Un beau jour, c'est la noce de l'un d'entre eux avec une jeune fille échappée de La Rochelle; d'autres fois, ce sont duels ou persiflage à portée des mousquets ennemis. Les morts ridicules ne se comptent plus. Les laquais quittent alors le camp pour aller annoncer la triste nouvelle aux familles.

Voilà comment Aubert de Montcherval et Lavigne, respectivement laquais et valet de Charles de La Peltrie, sont revenus à Bivilliers au Perche. Ni l'un, ni l'autre, ni aucun des biographes de Madeleine, n'ont voulu préciser ce qui était exactement arrivé à son défunt époux.

8

VEUVAGE MOUVEMENTÉ
ENTRE PERCHE ET NORMANDIE

La jeune veuve est triste, mais pas désemparée. La mort lui est familière. Les deuils ont jalonné son enfance. Celui de sa fille a renforcé son endurance à l'épreuve.

Elle affronte les urgences, ordonne qu'on ramène le corps, organise les funérailles que Charles désirait, mais en plus somptueux. On a retrouvé la preuve d'une petite folie de trente et une livres[23]: la commande à Maître Rodolphe Érable, peintre sur tissu, d'armoiries aux armes des Gruel, en argent sur une large bande noire, tendue autour du chœur de l'église de Bivilliers. Le «terrage» (enterrement) a lieu à l'intérieur de cette église, en présence de tous les amis, voisins et parents.

Après quoi, Madeleine reste au manoir de La Peltrie le temps voulu pour remplir les clauses du testament. Mais le vieux

---

23. D'après un calcul rapide, nous évaluons une livre de l'époque à cent dollars canadiens ou cinq cents francs français.

beau-père Gruel, veuf, l'y accable d'amitié et de tendresse, requérant sa présence à tout propos. Il peut à peine la perdre de vue; charmant, mais étouffant.

L'hiver 1628-1629, elle accepte donc, ravie, l'invitation de son amie Louise Catinat, elle aussi veuve. C'est le départ pour Mortagne, à deux lieues du manoir, avec la fidèle suivante Marie Le Gorren[24]. L'entourage y est très amical: une sœur de Louise, Claire Catinat, a épousé quatre ans plus tôt un compagnon d'enfance de ses frères, né à Alençon, Pierre Le Bouyer de Saint-Gervais, fils d'une dame bien connue pour ses bonnes œuvres. Mortagne est sympathique, animée. Madeleine s'y plaît d'autant plus qu'à ce moment-là, se passe quelque chose d'extraordinaire.

En octobre 1628, revient un personnage que l'on n'attendait pas de sitôt: Robert Giffard, quarante et un ans. De ses vingt-cinq printemps, Madeleine ne le trouve pas jeune du tout, mais admire son charme et son expérience. Grand ami des sœurs Catinat et de Pierre Le Bouyer de Saint-Gervais, ce médecin, après avoir séjourné cinq ans à Québec, de 1621 à 1626, y était reparti au printemps 1628 avec la flotte de Dieppe et les premiers colons du printemps, qui ne sont jamais arrivés. Revenu, il explique pourquoi.

Tout aurait pu bien se passer si le secret de l'expédition avait été bien gardé. Mais un pilote français, nommé Jacques Michel, allié des Rochelais, a donné l'alerte aux Anglais. Présumant de leur victoire à La Rochelle, les Britanniques avaient décidé de créer, eux aussi, une compagnie pour s'installer sur les bords du Saint-Laurent. Les frères Kirke, des corsaires, étaient chargés de s'occuper de l'opération. Prévenus par Jacques Michel, ces Kirke se sont emparés du navire de Bordeaux et de

---

24. Une lieue est la distance qu'on peut parcourir en une heure de marche, soit de quatre à cinq kilomètres.

ses documents. Puis, après une escale à Tadoussac, ils ont attaqué, aux environs de Gaspé, deux des navires de Dieppe qui ont fini par se rendre après dix heures de combat. Les passagers — dont Robert Giffard — ont été faits prisonniers et renvoyés à Londres, puis relâchés vers la France.

Toutefois le troisième bateau, une petite barque commandée par le père jésuite Philibert Noyrot, est passé inaperçu. Après de savantes et héroïques manœuvres, dignes des meilleurs corsaires, Noyrot est parvenu à s'échapper. Il a retraversé l'Atlantique, et abordé à Dieppe, sain et sauf, mais sans avoir pu secourir Champlain, qui, avec une armée insuffisante et démuni de vivres, se rend, à Québec, en juillet 1628, au moment où, de l'autre côté de l'Atlantique, le pauvre Charles succombe à La Rochelle.

Il n'y a, à Mortagne, qu'une seule personne enchantée de cette histoire: Marie Renouard, cousine par alliance des Catinat et jeune épouse de Giffard qui s'était marié avant de partir. Le voyageur revient tout juste pour le baptême de leur premier enfant, dont la marraine est la troisième sœur Catinat, Gabrielle. Évidemment, il doit remettre à plus tard son projet de départ.

Toute la société mortagnaise apprend par la suite et par l'intermédiaire des jésuites — grands amis des Le Bouyer-Catinat et de Giffard — de bien mauvaises nouvelles de Québec. En 1629, la ville est passée sous la domination des Kirke. La nouvelle compagnie des Cent-Associés accumule les malchances. Le père Noyrot, reparti avec sa barque au printemps 1629, fait naufrage à Canso, un passage étroit au sud du golfe du Saint-Laurent. Ainsi meurt noyé celui qui avait négocié avec Richelieu à La Rochelle la signature finale de la création des Cent-Associés. En un épisode loufoque, son compagnon, jésuite également, est déshabillé par une lame. Mais une fois sur la plage, il récupère bonnet, pantoufles et soutane.

Pendant les longues soirées d'hiver, Giffard raconte ce qu'il a vu en Nouvelle-France: la terre et les Amérindiens, peuple aux multiples nations qui habite l'Amérique.

Il a remonté plusieurs rivières en canot, seul Blanc au milieu de gens si différents des paysans de France. Il a eu faim et froid, a tout à la fois été étonné, dégoûté, horrifié, séduit par les habitudes de ces peuples. Les terres sont comparables à celles du Perche: forêts, rivières, étangs, lacs; en beaucoup plus vaste. Un Perche qui s'étendrait à l'infini. Le gibier foisonne. Le poisson abonde. Lui-même s'est fait construire une cabane pour chasser l'oie blanche et le canard, à la Canardière, près de la petite rivière Beauport, au bord du Saint-Laurent, non loin de Québec. Un coin qui sera plus tard rapidement désertifié (déboisé). Mais à l'époque, personne ne défriche pour cultiver. Robert Giffard gagne donc sa vie en pratiquant la traite des fourrures[25].

*
* *

Tout porte à croire que les descriptions de Giffard ajoutent des détails aux indications floues que Madeleine avait reçues depuis son enfance. À force d'écouter ces récits, Madeleine perçoit en elle un désir de se rapprocher à tout prix des Amérindiens. Elle ne sait pas pourquoi. C'est plus fort que sa raison. Elle veut faire leur connaissance; de la même manière qu'adolescente, elle voulait connaître les plus démunis d'Alençon; comme si elle devait découvrir en eux des profondeurs insoupçonnées de son intériorité personnelle.

---

25. Perche-Canada (1973).

VEUVAGE MOUVEMENTÉ

*

* *

Robert Giffard n'en finit pas de raconter comment vivent ces Amérindiens; dans de longues maisons, pour les uns; loin de Québec, dans des cabanes mobiles, pour les autres, qu'il connaît beaucoup mieux. Il parle des animaux, de l'oiseau-fleur, à peine plus gros qu'une abeille, considéré comme un petit prodige de la nature, de l'habileté des hommes à la chasse et à la pêche, mais aussi de leur extrême pauvreté, lorsque le gibier se fait rare l'hiver et que les chasseurs ne reviennent pas au camp. Il pense qu'il serait possible de partager le territoire avec ceux qui fréquentent le plus régulièrement la vallée du Saint-Laurent, Montagnais ou Algonquins, qui, nomades, ne cultivent pas et sont bien heureux d'échanger leurs peaux contre des céréales, des couvertures, des couteaux, des haches, des miroirs et des ustensiles de cuisine en métal apportés par les Visages pâles.

Les nouvelles de Québec parviennent régulièrement. Sous la domination des Kirke, les jésuites traversent une mauvaise passe. Champlain, en raison de la gravité de la situation, avait fait revenir le Normand Jean de Brébeuf de chez les Ouendats, un peuple vivant très loin, à l'ouest de Québec, près du lac Huron. C'est la première fois mais pas la dernière que cette «Robe noire» est le héros d'une histoire étonnante.

Jacques Michel, celui qui a trahi les Français, se sent honteux et bourrelé de remords lorsqu'il croise Brébeuf. Or, à Tadoussac, où les Kirke ont conduit le jésuite fait prisonnier, se tient une grande assemblée de Montagnais qui nourrissent pour Jean de Brébeuf — il a hiverné avec eux en 1625-1626 — une profonde admiration. Ils l'ont surnommé «Échon» (celui qui sait soigner) et le considèrent avec respect comme un grand sorcier blanc. Se trouvent aussi sur les lieux des pêcheurs basques, normands et bretons; bref, un auditoire important. Jacques profite de ce que Brébeuf est à sa merci pour le narguer devant tout le monde. Le père se contente de le fixer de ses profonds yeux bleus de Normand mystique. Brébeuf est grand et fort. Il a la langue bien pendue, quand il le faut. Il pourrait répondre ou agir, mais il se tait. Jacques n'arrête pas de boire et de manger, une main dans la graisse d'oie, un gobelet dans l'autre. Un silence sacré et communicatif s'impose parmi les spectateurs, pêcheurs français et Montagnais. Même les matelots des Kirke sont impressionnés. Jacques pourrait se calmer. Mais il crie comme un forcené: «La journée ne se finira pas avant que je t'aie donné un soufflet!» Puis il tombe raide, comme mort. On le couche plus loin. Il s'endort. On l'oublie. Plusieurs heures plus tard, à la plus grande stupéfaction de tous, il est réellement mort. On l'enterre. Les Montagnais, furieux de cette mort trop paisible à leurs yeux pour un traître, le déterrent et le pendent à titre d'humiliation posthume[26]!

Tout le monde, à Mortagne, est très impressionné par ces récits. Certains, étouffés par leur morne vie percheronne, sans nouveauté et sans avenir, veulent tout quitter pour s'installer en Nouvelle-France. Ils rêvent de leurs futures chasses ou pêches. Madeleine ne pense qu'aux Amérindiens. Mais son désir de partir ne peut se réaliser pour le moment, puisque les Anglais contrôlent la vallée du Saint-Laurent. Champlain est revenu tristement en France. Robert Giffard a repris son métier d'apothicaire et de chirurgien. Et Madeleine, qui ne peut s'attarder chez Louise Catinat, se décide à retourner à Alençon, la ville de son enfance et de ses parents.

---

26. Campeau (1979).

VEUVAGE MOUVEMENTÉ

*

* *

Alençon ne connaît pas l'agitation d'un port de mer ou d'une grande ville. Elle est entourée de forêts, à la croisée des chemins du Maine, de la Normandie, de la Bretagne et de Paris. Madeleine y est accueillie comme une princesse. Sa compagnie est recherchée; ses parents, enchantés. On parle d'elle, écrivent les jésuites, comme d'une «jeune veuve délicate, avec de grands avantages de nature, de biens, de fortune et de grâce». Elle est considérée de tous côtés comme l'un des meilleurs partis de la Province. On vante ses mérites de femme extrêmement aimable et douée de «ces précieuses qualités qui font les délices de la famille et l'ornement de la société». De jeunes ou moins jeunes gens tournent autour d'elle, on la demande à nouveau en mariage d'un peu partout.

Mais elle est fort peu pressée de s'engager. Comme écrira le fils de sa future amie Marie de l'Incarnation, il est évident pour elle que, «dégagée de ses liens», elle ne doit pas «perdre de temps dans l'oisiveté de la plupart des personnes de sa qualité». Bien entendu, ses parents, Jeanne du Bouchet et Guillaume de Chauvigny, ont des projets précis à son endroit. Elle se refuse à l'un de ces mariages nobles ou bourgeois réglés comme du papier à musique, où les seules aventures consistent à tromper son mari sans que personne s'en aperçoive. Elle adresse des sourires à tous, temporise. Les parents se font plus pressants. Elle répond que les intrigues de cour ou de châteaux ne l'ont jamais intéressée. On est au cœur de la grande époque des aventures de cœur, d'argent, de cape et d'épée. Elle préfère rendre service aux pauvres gens. Ses parents sont furieux. Vivre avec eux s'avère impossible.

*
* *

Madeleine décide donc de réfléchir, dans le calme et le recueillement d'une retraite, à ce qu'elle doit faire de sa vie. Un monastère abrite sa méditation. Depuis longtemps, un jésuite est son conseiller. Elle a toujours eu confiance en cet ordre, peut-être en souvenir de son frère élevé au collège de La Flèche. Les pères ont sans doute consolé ses parents après leurs deuils. Quoi qu'il en soit, l'ouverture, l'esprit novateur et entreprenant de la Compagnie lui plaît. Peu importe ceux qui la critiquent.

Elle fait un bilan. Le mariage ne l'intéresse guère. Elle n'a pas d'enfants, mais de l'argent. Comment se rendre utile? Où? Elle s'attache à être attentive à ce qui se passe en elle. Si elle était un homme, le monde lui serait accessible, elle pourrait devenir missionnaire, ou militaire au service d'une cause libératrice. Mais elle n'est qu'une femme. Il lui faut se montrer réaliste. À travers les projets déconcertants d'aventure outre-mer qui surgissent plus ou moins en elle, elle découvre peu à peu ce qui la fait vraiment vibrer. C'est l'amour et la tendresse ressentis pour les plus pauvres et tous ceux ou celles qui pourraient avoir besoin de sa personne. Pour calmer son angoisse, elle écrit à son conseiller jésuite et lui raconte tout ce qui agite sa tête et son cœur.

Précisons qu'en ce XVIIe siècle, on est en pleine flambée mystique. On peut trouver insensés les mots et les expressions rapportés par les jésuites ou Marie de l'Incarnation, mais, aux yeux de Madeleine, ils étaient propres à exciter la passion. Elle se sent saisie aux entrailles par «des mouvements si puissants pour procurer par toutes les voies imaginables la gloire de Celui qui possède uniquement son cœur». Elle ne se propose «pas moins que de s'employer à procurer, autant que le pourrait la faiblesse de son sexe, à la conversion et le salut de toutes les nations d'un monde qui lui semble trop petit pour la grandeur de son zèle». Elle accompagne en esprit «tous ces hommes apostoliques qui y travaillent par toute la terre, dans leurs dangers et dans leurs fatigues». Cent et cent fois le jour, elle dit à Dieu, dans ces transports: «Faites de moi, mon Dieu, tout ce qu'il vous plaira, tout est à vous, mon Dieu, mon cœur, mes biens et ma vie». Elle sent intérieurement que «Dieu prend plaisir à ces saillies d'amour; qu'il accepte l'offrande et que ses projets réussiront à sa gloire». Mais comme ces vues ne sont que générales, elle n'a encore aucun «dessein formé» et juge bien que, «n'étant pas assez forte pour entreprendre tout ce que son zèle lui pourrait inspirer», elle doit, pour «rendre ses bons désirs effectifs», se déterminer à quelque bonne œuvre particulière. Là-dessus, elle se trouve «dans de grandes obscurités». En fait, elle ne sait vraiment pas comment s'en tirer, redouble ses prières et fait dire quantité de messes.

*
* *

Après quoi, elle s'installe à Alençon, toujours avec sa suivante Marie Le Gorren et quelques domestiques; surtout pas chez ses parents, pour éviter, espère-t-elle, toute sollicitation de remariage. Ainsi établie à sa guise, elle se consacre au service des pauvres et, puisque son statut de veuve le permet, accueille chez elle les mères célibataires, interdites d'accès à l'Hôtel-Dieu faute de place, afin de les aider à en trouver une, justement. De temps en temps, elle se permet une escapade; en mai 1632, à Mortagne, pour le baptême de la petite Madeleine Le Bouyer de Saint-Gervais, dont elle est la marraine.

Cependant, elle apprend à ses dépens que la mauvaise réputation des mères célibataires déborde sur ceux qui les aident. On ne monte pas un foyer d'accueil sans qu'il n'en coûte quelque chose; en argent et en crédit. L'idée même d'une telle entreprise paraît aberrante. Ses proches — spécialement sa sœur Marguerite et son beau-frère Georges, sans oublier le beau-père Gruel qui n'a sans doute pas apprécié son départ — lui taillent une renommée de gaspilleuse éhontée. Quant à ses père et mère, ils n'en finissent pas de conjuguer le verbe se remarier sur tous les temps; notamment, à l'impératif.

Elle ne veut rien entendre et passe imprudemment de la bienséance à la rébellion. À la fin, son père se met en colère, lui interdit l'accès de sa maison et déclare qu'il ne veut plus jamais la revoir.

Obligée d'abandonner ses protégées, elle se retire, vers le début de 1633 — elle a 30 ans — dans une maison religieuse destinée à l'instruction des jeunes filles: les visitandines de Mamers, petite ville entre Alençon et Mortagne[27]. Ce couvent vient tout juste d'être fondé par des femmes très entreprenantes. Il est subventionné par un parent de sa mère et ses amies les sœurs Catinat. Un endroit parfait pour réfléchir encore et découvrir une bonne œuvre où engager son idéal. En attendant la lumière, sa présence est très appréciée. L'annaliste, c'est-à-dire la religieuse qui rédige une sorte de journal de la communauté, écrira que les premières sœurs «admiraient en cette femme forte un courage au dessus de son sexe».

Malgré la mort de sa mère, qui survient en juin 1633, Madeleine continue à prendre le temps de réfléchir: devenir religieuse et rester dans ce couvent de visitandines, voué à l'éducation des jeunes filles? Aller prier pour les missions, dans un autre couvent plus contemplatif, comme les clarisses? Investir

---

27. Nous avons eu la chance d'avoir accès à un document découvrant ce lieu de retraite de Madeleine; FLEURY (1898).

son énergie dans un service? Elle est libre, sans enfants, riche des deux mille livres de douaire (revenu annuel) qui lui viennent de la famille de son mari. Son père lui donnera d'autres biens. Brave homme dans le fond, il a pardonné les prétendues folies de l'insoumise. Mamers n'est pas bien loin d'Alençon, il la fait venir souvent pour l'aider dans ses affaires — bonne occasion pour multiplier les pressions, comme lorsque Madeleine avait encore quinze ans et que ses parents commençaient à insister pour la marier.

9

PROJETS VERS
LA NOUVELLE-FRANCE

Chez les visitandines de Mamers, où Madeleine arrive en 1633, elle prend le temps non pas de rêvasser, mais de rêver. Comme un architecte avant de construire, elle sonde les profondeurs du terrain — elle-même — pour bâtir un grand et solide projet. Bien entendu, on s'étonne de ce qu'elle n'agit ni ne réagit comme les femmes de son âge et de sa condition.

Corbleu, pourquoi donc n'imite-t-elle pas tout simplement la société qui l'entoure? Les siens ne se soucient pas le moins du monde de savoir qui elle est, ni ce qu'elle ressent. Ils veulent qu'elle se conforme à un modèle tout prêt. Elle, hélas, est disposée à inventer du neuf. Son projet va éclore. Elle devine une réalisation mais ne la distingue pas encore, sauf en certains moments de paix où, comme par miracle, traversée d'une intense lucidité, elle perçoit que l'attend une aventure sans pareille.

Elle a déjà eu, après sa première retraite, l'idée de se dépouiller pour sauver toutes les nations du monde, si démunies.

C'était vague et fou à la fois. Cette fois-ci, une autre idée tout aussi bizarre, mais précise, la saisit: employer ses biens et sa vie à l'instruction des petites filles du Canada. Cela va faire du grabuge parmi les proches! De son beau-père à son père, en passant par ses sœur, demi-sœurs et beaux-frères, on peut s'attendre à un beau concert de jérémiades.

En un premier temps, elle se confie aux visitandines de Mamers, qui l'approuvent. Étaient-elles ravies à l'idée de voir partir au loin cette créature originale? D'autant plus que Madeleine n'est plus la couventine de quinze ans admise chez les clarisses, mais une femme qui a déjà commandé une assez grande maison. Toutefois, dans la mentalité de ce premier tiers du XVIIe siècle, beaucoup de gens sont vraiment prêts à tout donner pour leur Dieu, à partir au loin pour convertir ceux et celles que l'on croit ignorants. Ce qu'on appelait mission et qui ressemble plutôt au déversement obligé d'un trop plein d'énergie. En fin de compte, ces religieuses doivent être sincères dans leurs encouragements.

Pendant que le projet de Madeleine mûrit, elle mène leur vie, sans avoir prononcé de vœux. Elle reçoit des visites, se déplace à l'extérieur, vers Mortagne ou Alençon, se tient avertie de l'évolution de la Nouvelle-France.

*
* *

À la suite du siège de La Rochelle, une paix est conclue entre France et Angleterre. La France paie au roi d'Angleterre, Charles Ier, la dot de son épouse Henriette, fille de Henri IV et sœur de Louis XIII — quatre cent mille livres qui avaient été gardées en caution, si l'on peut dire, pour des raisons politiques. L'Angleterre rend la Nouvelle-France. Les Kirke sont contraints d'abandonner Québec. Des colons pourront enfin s'installer. Les jésuites, dont un certain père Paul Le Jeune, y retournent en 1632.

Ce père Le Jeune deviendra célèbre comme rédacteur des premières *Relations*, une chronique annuelle envoyée de Nouvelle-France en France. L'ensemble des soixante-treize volumes deviendra l'une des sources principales de l'histoire de l'Amérique du Nord et des Amérindiens. En 1633, après quatre ans d'absence, Champlain retrouve son habitation de Québec.

À Mortagne, Robert Giffard jubile. Il demande aux Cent-Associés dont plusieurs sont des amis, une concession autour de sa cabane pour chasser le canard. Ce sera l'actuelle côte de Beauport, juste au nord de Québec. Puis il cherche activement à recruter des compagnons pour partir, enfin, fonder une colonie.

Évidemment Madeleine ne peut pas participer à cette œuvre. Son père a besoin d'elle. À partir de 1634, elle le remplace pour les signatures. Au printemps de 1636, elle finit par s'installer chez lui avec sa suite, dont, évidemment, Marie Le Gorren. Une dame de son rang ne peut rien faire sans une suivante: ni s'habiller, ni se coiffer, encore moins faire parvenir du courrier, transmettre certains ordres, filtrer les visiteurs, aller aux informations là où la bienséance interdit de se présenter.

À l'hôtel Cochon de Vaubougon, Madeleine tient avec autorité, comme il se doit, le rôle de maîtresse de maison. Sa sœur Marguerite en est profondément agacée. Madeleine n'est d'ailleurs pas du tout consciente de la frustration qu'elle suscite. Son attention va vers ce qui se prépare au Perche.

*
* *

À Mortagne, Giffard apprend en janvier 1634 qu'il a obtenu la concession demandée: une lieue de terre, à prendre le long du Saint-Laurent; une lieue et demie de profondeur dans les terres, à l'endroit où la rivière appelée Notre-Dame de Beauport entre dans le fleuve. C'est très grand, surtout vu de France. Il relance ceux qui s'intéressent à la Nouvelle-France:

> Si vous le voulez, ma terre vous appartient. Chacun de vous qui acceptera de partir avec moi recevra sa part. Il faut des gens de tous métiers. Chaque engagement sera d'une durée de trois ans. Je pense vous affirmer que ces trois années renouvelables à volonté seront déjà fort honnêtement rentables. Ici, c'est le pays ancien, la vie sans surprise, installée, mais limitée par l'ambition des seigneurs. Là-bas, c'est le travail dans le vif. Tout est à inventer et à faire. Pour vous les jeunes, c'est merveilleux[28]!

Robert Giffard est épaulé par les frères Jean et Noël Juchereau. Les Le Bouyer-Catinat acceptent de lui prêter de l'argent. L'aide est de poids, tant sur le plan financier que psychologique. À travers cette association, une bonne partie de ce coin de France est en train d'investir ses ressources matérielles et humaines dans le peuplement de la Nouvelle-France. Au grand dam du seigneur local. Robert II de La Vove voit avec une certaine aigreur s'émanciper cette main-d'œuvre fort qualifiée dont il rêve pour ses futurs haut-fourneaux.

L'argent des Le Bouyer est utilisé par Giffard pour passer des contrats d'embauche avec Jean Guyon, tailleur de pierres, Zacharie Cloutier, charpentier-menuisier, Marin Boucher, et d'autres artisans. Dans un premier temps, les hommes auraient dû partir seuls, avec leur fils aîné, pour préparer le logement des

---

28. Perche-Canada (1973) et Cambray (1932).

familles. Mais Marie Renouard-Giffard, pourtant enceinte de son troisième, — ce sera une fille, Françoise, qui naîtra douze jours après le débarquement à Québec et deviendra religieuse à l'Hôtel-Dieu de Québec —, n'est pas de cet avis. Elle a peu apprécié le départ de son mari en 1628, aussi persuade-t-elle mesdames Cloutier, Guyon et Boucher de partir tout de suite, avec les enfants. La famille du menuisier Gaspard Boucher partira les rejoindre un an plus tard, avec leur fils de douze ans, un certain Pierre.

Finalement, quarante-trois personnes quittent Mortagne, au printemps 1634. C'est une équipée sans précédent. Une foule venue des quatre coins du Perche se rassemble à l'église Notre-Dame pour la cérémonie des adieux. Les voyageurs ont placé leurs biens sur des charrettes, chargées de provisions, de meubles, d'instruments de métier. Heureusement, les chevaux percherons sont solides! Une heure après le départ, on s'arrête pour se recueillir devant la «mariette» de Sainte-Anne, à une croisée de chemins. Là ou ailleurs, les familles de Tourouvre, Jean Juchereau et son épouse Marie Langlois, Henri Pinguet et les siens, et les jeunes célibataires Robert Drouin et François Bellanger, rejoignent les voyageurs. Puis on emprunte la route vers Rouen et Dieppe. Pas question d'embarquer à La Rochelle après tout ce qui s'est passé pendant le siège, ce qui aurait grandement facilité le voyage. L'expédition est obligée de parcourir quarante lieues à travers les vergers normands. Les pommiers sont en fleurs. Les vaches engraissées par les plus belles prairies de France regardent passer le cortège. C'est poétique, mais quand il pleut, les roues s'embourbent. Finalement, tout se déroule bien. À Rouen, on retrouve deux personnages qui joueront un grand rôle dans la nouvelle colonie: Jean Bourdon et Jean Lesueur. Le premier est encore célibataire. Il épousera l'année suivante Jacqueline Potel à Québec. Le second, un prêtre qui vient de quitter la cure de Saint-Sauveur de Thury-Harcourt, fera venir la tribu Legardeur, futurs pionniers des Trois-Rivières.

Tout ce monde parti, Madeleine ne peut que s'intéresser encore plus à la Nouvelle-France. Les jésuites d'Alençon lui passent les informations reçues de là-bas. En 1635, la *Relation* des jésuites de Québec, sous la plume du père Le Jeune, signale le bon voyage et l'arrivée des Giffard, Juchereau et autres. Mais l'attention de Madeleine est retenue par une offre d'emploi originale: on demande des enseignantes pour les jeunes Amérindiennes. Ce qui prouve que son intuition n'est pas si folle. Malheureusement, elle n'est ni professeur ni religieuse, et ne veut pas se marier. Enfin, les langues ne sont pas son fort. Elle n'a donc absolument aucune des qualifications requises.

Mais voici qu'au printemps de 1636, peu après son installation chez son père avec sa suite, la *Relation* suivante réclame une «Dame de France» pour financer les opérations des nombreuses religieuses qui ont répondu à l'appel précédent. Le père Le Jeune écrit textuellement:

> Pour des Religieuses, il leur faut un bon revenu pour se pouvoir nourrir et soulager la pauvreté des femmes et des filles sauvages. Hélas! mon Dieu! si les excès, si les superfluités de quelques Dames de France s'employaient à cette œuvre si sainte, quelle grande bénédiction feraient-elles fondre sur leurs familles!... Se peut-il faire que les biens de la terre nous touchent de plus près que la propre vie? Voilà des vierges tendres et délicates, toutes prêtes à jeter leur vie au hasard sur les ondes de l'Océan; de venir chercher de petites âmes dans les rigueurs d'un air plus froid que l'air de la France; de subir des travaux qui étonnent des hommes même, et on ne trouvera point quelque brave Dame qui donne un Passeport à ces Amazones du grand Dieu, leur dotant une Maison, pour louer et servir sa divine Majesté

en cet autre monde? Je ne saurais me persuader que notre Seigneur n'en dispose quelqu'une pour ce sujet.

Dès ce moment, Madeleine a l'assurance d'être la «brave Dame», pourvoyeuse de «Passeport». Ceci la détermine à écrire à un jésuite du collège d'Alençon. Elle explique son désir de consacrer ses biens et sa vie aux Amérindiennes; elle ajoute que c'est un projet profondément réfléchi et non «un dessein pris à la légère» en lisant la Relation. Elle précise qu'elle y pense depuis 1629, l'année des premiers exercices spirituels. Prudemment, elle affirme ne rien vouloir entreprendre «sans l'approbation de personnes bien éclairées».

Pendant qu'une réponse se fait attendre, son projet se confirme encore le 2 juillet 1636, au cours d'une aventure un peu étrange.

*

* *

Madeleine est en prière, en l'occurrence, elle se concentre pour être attentive à ce qui peut jaillir du silence de son cœur. Elle prend peu à peu conscience de la profonde nécessité pour elle d'aller en Canada travailler pour aider les jeunes filles amérindiennes. Elle a la certitude qu'elle y trouvera le bonheur. Tout émue, elle pleure et dit à Dieu, rapporte Marie de l'Incarnation: «Ce n'est pas à moi, Seigneur, qui suis une si grande pécheresse et une si vile créature qu'il faut faire de si grandes faveurs.» Il lui est répondu: «Il est vrai, mais c'est pour donner sujet d'admirer davantage ma miséricorde: Je veux me servir de vous en ce pays-là et, nonobstant les obstacles qui s'élèveront pour empêcher l'exécution de mes ordres, vous y irez et y mourrez.» Madeleine est donc décidée à traverser les mers — mais pas encore totalement.

C'est alors qu'elle tombe gravement malade. Pire: la voilà à l'article de la mort. Les médecins l'abandonnent, ils ne la visitent plus «que par honneur et par cérémonie...» et pour se faire payer! Tout le monde s'attend à ce qu'elle expire. Du fond de son agonie, elle fait vœu à saint Joseph, patron du Canada, que, «s'il lui plaît d'obtenir de Dieu sa santé, elle ira en ce pays et y portera tout son bien». Dans le même élan, elle promet au même saint de se consacrer elle-même au service des filles amérindiennes et de bâtir une église sous son nom.

Cette conversation secrète et intime avec saint Joseph se situe dans un contexte tragi-comique. Son père et sa sœur Marguerite veillent autour du lit à baldaquin, parmi les instruments de médecine — l'écœurante cuvette pour les purgations, le clystère à lavement, la chaise percée. On imagine les odeurs. Georges, l'insupportable beau-frère, passe de temps en temps. Le seul souci des uns et des autres est de lui faire rompre le testament fait en faveur d'œuvres de charité. Pour toute réponse, Madeleine supplie qu'on la laisse mourir en paix. Son pauvre père en est très offensé. Heureusement pour elle, les capucins voisins, appelés pour l'aider dans son agonie, la soutiennent dans ses convictions. Elle est si près de la mort qu'on consacre une nuit à lui tailler l'habit de saint François avec lequel elle veut être inhumée. Son entourage, divisé, s'attend à la voir expirer d'une minute à l'autre. Elle s'endort.

À son réveil, contre l'attente de tous, la voici sans fièvre, et bien résolue à conserver son bien pour l'exécution du dessein canadien. Apprenant, le lendemain, qu'elle n'est pas morte, les médecins viennent la visiter. L'un d'eux lui tâte le pouls en grande cérémonie, le trouve sans fièvre, et annonce avec emphase: «Madame, vous êtes guérie, assurément votre fièvre est allée en Canada.»

On sait la réputation du Canada, surtout dans la famille de

Madeleine: le pire endroit où aller. On n'est pas à Mortagne ni à Tourouvre. Le médecin d'Alençon, d'où aucun colon n'est encore parti, est à cent lieues d'imaginer ce qui a défilé dans la tête de sa patiente pendant sa grave maladie. Elle, qui s'en souvient fort bien, arbore un de ces petits sourires mutins qui plaisent tant quand ils n'agacent pas, le regarde en face et lui rétorque: «Oui, monsieur, elle est allée en Canada.»

Puis, comme si de rien n'était, elle reprend ses activités de maîtresse de maison chez le vieux Guillaume Cochon de Vaubougon, de plus en plus infirme. Elle le soigne affectueusement, tout en se demandant comment se rendre au pays de son rêve. Mais sa famille — qui diable a pu le lui dire? — apprend le projet. Sœur et beau-frère sont dans une colère noire. Ils entreprennent alors des démarches pour la faire déclarer incapable de jouir de ses biens. Ni philanthropes, ni désintéressés, l'entreprise de Madeleine leur semble une chimère, comme à la plupart des Français de l'époque, normands ou pas. La Nouvelle-France est à ses débuts. Ceux qui sont renseignés savent que la compagnie des Cent-Associés accumule les dettes. Giffard et les Juchereau ont bien réussi à partir, malgré tout. Mais personne, dans son entourage familial, n'imagine que la jeune veuve, jolie et riche, noble dame, toujours accompagnée d'une suivante, est capable de «passer les mers», pour mener une vie qu'ils disent «misérable, dans les forêts, parmi des peuples les plus barbares du monde». En fait, ils ne veulent surtout pas voir s'expatrier le patrimoine familial. À leurs yeux, cette fortune ne doit servir qu'à placer Madeleine, par un brillant mariage, en position de leur faire obtenir des faveurs royales. Notre héroïne est maintenant veuve depuis huit ans. Dans peu de temps, elle «subira des ans l'irréparable outrage». Si elle ne se remarie pas, c'est l'impasse totale pour son statut personnel, et un gros manque à gagner pour celui de la parenté. Le vieux Guillaume signale qu'il va «mourir de déplaisir» et la presse de se remarier en prononçant «les paroles les plus fortes et les plus touchantes que l'amour paternel lui pouvait suggérer.» Même des religieux finissent par conseiller le remariage[29].

29. Une bonne partie des citations de ce chapitre viennent de la lettre de Marie de l'Incarnation au père Poncet, du 25 octobre 1670.

Quatrième partie

COMMENT RÉALISER L'IMPOSSIBLE

10

REMARIAGE STRATÉGIQUE

Devant l'obligation qu'on lui fait de se remarier, Madeleine explique son problème à un jésuite du collège d'Alençon. Ce qui, en termes du XXᵉ siècle doit donner à peu près ceci:

Je veux fonder un établissement d'éducation pour filles en Amérique. Comment puis-je contourner les hiérarchies familiales et masculines, mobiliser mes ressources, sortir enfin de la société figée qui m'entoure, pour développer cette réalisation personnelle?

Le projet, comme la question, sont parfaitement incongrus pour l'époque et l'endroit. Il y a de quoi avoir très peur de la réponse. Certains clercs — peut-être le père Le Jeune lui-même, supérieur des jésuites à Québec, rédacteur de la *Relation* dans laquelle on demandait une «noble Dame» pour financer l'installation de religieuses enseignantes —, veulent une fondation, pas une fondatrice. Cette femme doit leur sembler plutôt encombrante. D'ailleurs la coutume veut que les gros bailleurs de fonds ne se déplacent pas. La duchesse d'Aiguillon n'a jamais eu la moindre idée de traverser les mers pour travailler en personne dans l'hôpital des Augustines qu'elle projette d'installer à Québec. La chance de notre petite provinciale d'Alençon serait d'être la seule candidate au financement des enseignantes. Peut-être alors acceptera-t-on qu'elle accompagne son argent et paie aussi de sa personne?

Heureuse surprise: le jésuite, qui, sans doute, connaît bien Madeleine, approuve son projet. Aussi cherche-t-il une issue originale à cette situation inédite. Après réflexion, il propose de commencer par contracter un mariage blanc avec un célibataire un peu bizarre, à la sagesse reconnue, de bonne petite noblesse, trésorier de France à Caen et relation d'affaires de Guillaume Cochon de Chauvigny. Une fois en puissance de mari, Madeleine pourra avoir les coudées franches.

En 1636, Jean de Bernières-Louvigny — c'est le nom du gentilhomme — a trente-quatre ans, un an de plus que Madeleine. Lui aussi s'adonne aux nombreuses bonnes œuvres nécessaires aux démunis de sa ville. C'est de famille: sa sœur Jourdaine, très pieuse, y a fondé un couvent d'ursulines pour l'instruction des jeunes filles. Il n'a pas la réputation d'être un prix de beauté, mais il possède un cœur d'or doublé d'un rare jugement.

L'idée de ce mariage blanc enthousiasme Madeleine. Enfin une proposition qui satisfait à la fois ses désirs, sa famille et son son père, plongé dans un marasme qu'elle seule peut guérir. Avec hâte, elle prend sa plus belle plume et supplie Jean de Bernières de la faire demander en mariage pour y vivre comme frère et sœur. Bien entendu, elle explique le projet canadien, le refus paternel, ne doutant pas un seul instant que Bernières puisse éluder sa proposition faite au nom de l'une des plus belles causes.

En prenant connaissance de la lettre, le trésorier de France à Caen n'en croit pas ses yeux. Il en meurt presque de peur pendant trois jours. Le premier choc passé, un ami jésuite — il y a décidément beaucoup de membres de la compagnie de Jésus dans cette histoire — lui confirme le sérieux de cette offre étrange. Bien embarrassé, il consulte son directeur spirituel et quelques personnes dites de piété. À sa plus grande stupéfaction, le conseil est unanime: embrasser ce dessein. Tout le monde l'assure qu'on connaît madame de La Peltrie. C'est du solide.

Il y a fort à parier que les amis de ce cher Jean estiment excellente la compagnie provisoire de la pétillante Madeleine pour ce vieux garçon effarouché par les femmes. Lui, considérablement troublé, redoute de se hasarder dans une situation si périlleuse. Pense-t-il à l'étiquette de «mousquetaire» qu'on attribue à la jeune veuve? Aux dangers de l'expédition canadienne? Ou craint-il par dessus tout de perdre la face devant les gens avertis du vœu de chasteté qu'il a prononcé? Par exemple les parents des demoiselles qu'il aurait pu demander en mariage.

Le pauvre médite, invoque les puissances célestes... qui lui conseillent, semble-t-il, de prendre son courage à deux mains et d'accepter. Il écrit donc à un de ses amis, un médecin nommé monsieur de la Bourbonnière, personnage très recommandable, père d'une religieuse de Port-Royal de Paris, «d'aller trouver Monsieur de Vaubougon et de lui demander de sa part madame de La Peltrie, sa fille».

Ravi de saisir cette chance de rendre service à un grand ami, La Bourbonnière se précipite à Alençon où il rencontre le vieux Guillaume et lui présente la demande en mariage. Celui-ci, qui avait promis de s'éteindre de tristesse si Madeleine ne se mariait pas, passe d'une extrémité à l'autre et pense mourir, cette fois-ci, de joie. Le souffle coupé, c'est tout juste s'il arrive à conseiller prudemment à La Bourbonnière d'aller consulter l'intéressée et de s'enquérir par lui-même de ce qu'elle en pense. La Bourbonnière s'exécute et Madeleine explique à son père:

101

«puisque cet honnête gentilhomme, qui me fait l'honneur de me rechercher [vous] agrée, je le préfère aussi à qui que ce soit de la province».

Le médecin repart alors vers Caen et transmet à Bernières un rapport détaillé de sa visite. Jean ne sait qu'inventer pour éviter de venir lui-même à Alençon et de conclure. Guillaume, cloué au lit par la goutte, presse sa fille d'en finir au plus tôt. Il fait tapisser la maison de neuf, commande de belles décorations, prodigue à la future mariée tous les conseils d'usage pour que l'union soit réussie. Curieusement, la sœur Marguerite et Georges, son mari, qui auraient dû être furieux de voir monsieur de Chauvigny faire encore des dépenses pour la benjamine, jouent le jeu de l'amabilité. Il faut dire que le père a considérablement adouci les relations entre ses deux filles en versant à Marguerite la différence qui manquait à sa dot pour égaler celle de Madeleine.

Cependant Bernières ne se presse pas. À force de voir le temps passer, de constater la petite mine de la jeune femme, peut-être un peu trop réjouie voire moqueuse, le bon vieillard commence à la soupçonner de le berner et invoque une menace: signer un papier qui lui causerait une perte de plus de quarante mille livres.

Madeleine flatte son papa, lui dit que monsieur de Bernières, homme d'honneur, ne manquera pas à sa parole, mais qu'il l'a informée que ses affaires le plongent dans l'impossibilité d'entreprendre pour le moment ce voyage de six semaines. Néanmoins, elle fait venir Jean secrètement à Alençon. Il y loge dans la maison d'un ami au courant de tout le projet du Canada. Elle ne va le voir que de nuit et en compagnie de cet hôte, pour être sûre du secret.

On convoque un conseil de «doctes» personnes, pour savoir ce que Jean et Madeleine doivent faire. Les uns pensent qu'ils peuvent se marier et vivre «en chasteté». D'autres estiment que ce mariage pourrait porter préjudice aux affaires du Canada. Connaissant l'humeur chicanière de Marguerite et de son mari qui, avec leurs enfants, seront les héritiers de Madeleine et pour qui toute aumône est une dissipation de patrimoine, ils craignent de graves problèmes au cas où Madeleine mourrait avant Jean. Après délibération, il est décidé de ne pas se marier, mais de faire semblant de l'être. Jean de Bernières retourne alors chez lui.

Peu de temps après, le vieux Guillaume est frappé d'une très grave maladie. Il meurt le 3 juin 1637. Ce qui, pour autant, ne soulage pas Madeleine de ses difficultés.

Le bail de la maison de Marguerite et Georges arrive à échéance au même moment. Ils profitent du vide laissé par la mort du père pour s'installer dans la maison familiale, l'hôtel Cochon de Vaubougon, que Madeleine a pris l'habitude de diriger. Marguerite décide que, dorénavant, c'est à elle de le faire. On imagine les problèmes de cohabitation. Les domestiques, avec qui Madeleine s'est toujours bien entendue, continuent à lui obéir. Marguerite est furieuse. L'orage plane.

Madeleine consulte un notaire pour entrer en possession de sa part d'héritage, afin de partir avec son bien. Voilà que sœur et beau-frère fomentent un procès, arguant non seulement qu'elle n'a droit à rien, mais qu'elle leur doit même de l'argent, pour le trop long séjour effectué avec ses gens aux frais de leur père. Le procès a lieu en septembre 1637. On demande à Madeleine cent quatre vingt mille livres. Stupéfaite, elle quitte la maison et, avec l'aide des domestiques présents, emporte ses affaires personnelles et ce qu'elle estime être sa part de meubles et de vaisselle d'argent.

*
* *

Cette vaisselle la suivra à Québec, y sera fondue pour devenir la lampe du sanctuaire de la chapelle des ursulines. Sauvée de deux incendies en 1650 et 1686, elle y est toujours. Aucune des armées, françaises ou anglaises, qui a envahi l'endroit n'a osé y toucher.

*
* *

Marguerite et Georges demandent qu'un inventaire soit établi. Ce sont de puissants adversaires. Depuis un certain temps, et sans que Madeleine s'en soit rendu compte, ils ont monté un dossier contre elle. Non seulement elle est accusée, on l'a vu, d'avoir été entretenue, elle et ses gens, par leur père, pendant de longs mois, mais de plus, on ressort encore l'affaire, qu'on croyait réglée, de la dot lors de son mariage avec Charles. Toutes les jalousies suscitées resurgissent violemment. Les plus grands du royaume sont alliés à la famille, peut-être l'un des prétendants éconduits a-t-il attisé la haine des proches? Par-dessus le marché — et c'est bien là la pire des accusations pour ces esprits vaniteux et égoïstes — on accuse Madeleine, ses largesses, ses prodigalités envers les pauvres, ou tout simplement, sa manière de payer correctement le travail des fournisseurs ou des domestiques. On ne peut imaginer comme cette petite noblesse de province est «avaricieuse» avec les gens qu'elle estime de rang inférieur. Toutes les dépenses faites et estimées prodigues avaient été sournoisement notées depuis son veuvage.

C'est alors que Madeleine en vient, au cours d'une séance chez un homme de loi, à sortir de ses gonds devant tant d'injustice, à cracher au visage de sa sœur et à gifler son beau-frère, ou l'inverse. Celui-ci, qui garde toujours son calme, répond d'un ton mielleux et perfide «qu'il a toujours ouy parler de la douceur et du gémissement de la colombe, mais jamais de sa colère et de sa cruauté», et qu'«il désirerait qu'on lui répondît autrement qu'en lui donnant des soufflets, en lui crachant au visage».

Grâce à des amis, un partage à l'amiable finit tout de même par avoir lieu le 16 avril 1638. Madeleine garde la terre et la seigneurie de Rouillé-Haranvilliers, le vieux fief ancestral de Vaubougon et d'autres terres. Le tout pour un montant total d'environ neuf cent mille livres. Ce n'est pas si mal.

Pendant ce temps, les deux sœurs se retrouvent ensemble en procès; d'abord contre leur demi-sœur Marie Jouenne, épouse d'Alexandre Mallard, qui s'estime lésée à la suite de l'héritage de leur mère; ensuite contre les cousins Le Hayer qui relancent un vieux contentieux hérité du père. En pleine chicane, Madeleine croit toutefois pouvoir penser à ses projets canadiens.

Mais non. Jaloux des biens substantiels qui lui ont été impartis, Marguerite et Georges entreprennent alors des démarches pour la faire frapper d'interdiction et la placer sous curatelle, sous prétexte qu'elle est incapable de gouverner ce qu'elle possède. Ses amis d'Alençon sont assurés qu'elle va perdre et, de fait, la cour de Caen prononce un jugement d'interdiction. Il ne reste plus qu'une issue: aller voir à Caen, le «mari», Jean de Bernières, que justement tout le monde avait oublié dans ces affaires. Madeleine s'y rend secrètement. Jean la console, l'encourage affirmant que «les affaires de Dieu veulent être poussées avec force et vigueur» et lui conseille de faire appel au parlement de Rouen. Il prend la cause en mains.

Or, à ce parlement siègent des cousins de Guillaume qui connaissent très bien la mentalité de Marguerite et de Georges.

Jean de Bernières les met diplomatiquement au courant de la situation. En son for intérieur, Madeleine promet à saint Joseph, devenu un ami proche depuis son rêve et sa grande maladie, de consacrer, si elle gagne, tout son bien à fonder une maison de religieuses enseignantes au Canada. Enfin, en juillet 1638, elle est déclarée capable du «maniement de son temporel».

Tout le monde commence à croire qu'elle est vraiment mariée. Ceux qui lui avaient été le plus opposés sont surpris. De lions, sœur et beau-frère deviennent des agneaux. Tout ce beau monde «admire la conduite de la divine Providence sur ses affaires». De bonnes âmes déclarent ignorer ses desseins, mais constater que «la main de Dieu s'est fait paraître extraordinairement en cette occasion». On va jusqu'à lui conseiller de remercier la Providence et de lui en témoigner reconnaissance.

Nicolas Laudier, l'homme d'affaires de son père qui l'avait accompagnée à Rouen, est de cette espèce. Pourtant, revenue à Alençon, le 31 juillet 1638, Madeleine l'établit comme procureur spécial de ses affaires. Elle n'a guère le choix. Le père Laudier s'est toujours bien chargé des intérêts des Cochon de Vaubougon. Pire pourrait être un autre.

N'empêche qu'à Alençon, on montre encore Madeleine du doigt. Cette fois, c'est la gent pieuse qui, carrément, lui fait remarquer «pour son bien », «qu'ayant mené une vie dévote et exemplaire», elle la quitte pour mener celle du grand monde.

Nullement impressionnée par ces sermonneurs et sermonneuses de petite envergure, elle répond en souriant et avec la plus grande modestie qu'il faut accomplir la volonté de Dieu. Ce qui, chez sa sœur et toute sa famille, semble confirmer le sentiment qu'elle est remariée.

À ce moment, elle se sent extraordinairement pressée d'exécuter son dessein et prépare un voyage à Paris pour en chercher les moyens. Elle dresse une liste méthodique des personnes à rencontrer, et part avec Marie Le Gorren et, peut-être, l'ancien valet de son mari, le fidèle Lavigne. Jean de Bernières l'y rejoint pour l'aider. Madeleine loge chez un ami, le sieur Olivier Gaultier, procureur au Parlement, tout près de la porte Saint-Michel et de la paroisse Saint-Louis. Elle est à cent lieues d'imaginer ce qui va arriver.

11

CAVALE EN FRANCE

Circuler dans une grande ville n'est pas une petite affaire pour qui en ignore les encombrements et la saleté. Il faut savoir regarder où poser ses pieds dans les ruelles étroites. La puanteur est proverbiale. On risque à tout moment de recevoir un pot de chambre sur la tête! Avec les bruits de tous les crieurs, on n'entend pas les mises en garde. Sans compter qu'il y a des disputes à tous les coins de rue et que l'on peut se faire prendre à partie. N'oublions pas les embouteillages, les tire-laine et autres videgoussets qui pullulent. Heureusement, Lavigne, le valet de Charles, qui avait déjà accompagné son maître dans la capitale, doit prodiguer à Madeleine et à sa suivante tous les conseils nécessaires.

Or, voici que parvient une redoutable information. «On» — ce ne peut être que Marguerite et Georges — a payé des hommes de main pour faire enlever Madeleine. Après réflexion, elle décide, pour déjouer toute tentative malencontreuse, qu'elle échangera ses vêtements avec Marie Le Gorren puisqu'elles ont la même taille. La femme de chambre joue à la dame et passe devant. Madeleine se transforme en suivante et marche derrière.

Pendant que les dames échangent leur vestiaire, Jean de Bernières, venu rejoindre Madeleine, prend en mains l'organisation de ses rendez-vous. Quatre démarches sont essentielles. Il faut établir son crédit personnel, sa «vocation», comme disent les gens d'Église; gagner la sympathie des jésuites responsables de la mission en Nouvelle-France; découvrir, parmi les religieuses, celles qui sont vraiment déterminées à partir en Nouvelle-France; enfin, obtenir une autorisation de la compagnie des Cent-Associés.

Grâce à Jean, dont la renommée ouvre toutes les portes, les entretiens vont rondement. Il fait soumettre son «épouse» à l'examen des plus hautes autorités spirituelles; entre autres, le père de Condren, supérieur général de l'Oratoire — une congrégation de religieux —, et le célèbre Vincent de Paul, fondateur des Lazaristes et des Filles de la Charité.

Ces messieurs sont considérés comme arbitres ès entreprises extraordinaires. Chacun d'eux, séparément, prend la peine d'examiner la vocation de cette étrange candidate et l'interroge à plusieurs reprises. Elle raconte son histoire dans le détail et termine en confiant prudemment qu'elle «laisse le tout entre les mains de Dieu et de ses fidèles serviteurs». Qu'ils prennent leur temps. Elle les conjure «de ne pas considérer ce qu'elle pourrait souffrir dans l'exécution de ce dessein, puisqu'elle endurerait volontiers mille martyrs, s'il en était besoin et que ce fût la volonté de Dieu, pour contribuer quelque chose à sa plus grande gloire». Elle ajoute être «prête à signer à l'aveugle tout ce qu'ils auront conclu sur cette affaire». Ces réponses font très bonne impression.

Tous approuvent Madeleine et finissent par déclarer que sa vocation est «de Dieu», affirmant que «la divine Majesté demandait ce sacrifice» de sa personne et de ses biens, et que, quand bien même devrait-elle périr, il lui faut entreprendre ce voyage «pour Sa gloire». L'un ajoute même que «le doigt de Dieu est tout manifeste» et qu'elle ne peut reculer ou différer «sans résister au saint Esprit». Au moins deux jésuites, parmi les autorités consultées, partagent cet avis: le père de La Haye, responsable de la principale maison de la Compagnie de Jésus à Paris et le père Dinet, recteur du célèbre collège de Clermont. Madeleine ne peut dire la joie de son cœur à constater que des personnes de grand renom la prennent tout à fait au sérieux.

Muni de ces prestigieuses références, Jean de Bernières cherche alors, parmi les nombreux jésuites parisiens, le chargé des affaires du Canada. Il est adressé au jeune père Joseph-Antoine Poncet de la Rivière.

En 1638, l'homme a vingt-neuf ans. Il revient de Rome, où il a terminé de brillantes études. Son père est membre de la compagnie des Cent-Associés. Lui-même partira en Nouvelle-France par la prochaine flotte. Le récit du projet de Madeleine évoque tout de suite à son souvenir celui d'une autre veuve à peine plus âgée, mère d'un de ses anciens élèves du temps où il était professeur débutant à Orléans, et religieuse ursuline à Tours. Elle n'attend que l'occasion, c'est-à-dire un bailleur de fonds, pour partir créer à Québec un établissement d'enseignement destiné aux jeunes filles.

Après échange de leurs informations réciproques, Poncet et Bernières conviennent que les projets de Madeleine et ceux de Marie Guyart de l'Incarnation, la religieuse tourangelle, sont faits pour se compléter. Soulagement! Cette fois-ci, toutes les conditions de réussite du grand rêve sont réunies. Madeleine plane dans la joie et l'espérance.

Le père Poncet, tout aussi enthousiaste, se dépêche d'écrire à Marie de l'Incarnation qui répond dans les plus brefs délais (le texte de cette lettre de novembre 1638 a été conservé). Son style est très personnel. Le «généreux dessein» de Madeleine dilate son cœur «par un épanchement tout entier en bénédictions et en louanges». Cela ne l'empêche aucunement de signaler qu'il y a au pays convoité des «glaçons, des ronces, des épines». Elle précise, et c'est tout à fait son genre, que «le feu du saint Esprit a un souverain pouvoir pour consumer tout cela».

Marie ajoute des mots qui vont droit au cœur de Madeleine: «Il me semble que mon cœur est dans le vôtre et que tous deux ensemble ne sont qu'un... au milieu de ces espaces larges et infinis... dans lesquels... nous enseignerons à aimer...ce qui est infiniment aimable.» Elle poursuit avec une modestie touchante: «Voulez-vous donc bien, Madame, me faire cette grâce de m'emmener avec vous, ainsi qu'une de mes compagnes?» Elle conclut qu'elle attend cette occasion depuis cinq ans et l'invite à Tours pour préparer le voyage.

Jean de Bernières et Madeleine ne perdent plus une minute. Ils consultent les pères Charles Lalemant, procureur de la mission jésuite du Canada à Paris et Georges de La Haye, responsable d'une importante maison jésuite; monsieur le commandeur de Sillery, influent auprès de la compagnie des Cent-Associés; messieurs François Fouquet et Jean de Lauson, directeurs de cette Compagnie. Leur permission est indispensable pour passer en Nouvelle-France avec les religieuses. Ils l'accordent.

Madeleine annonce qu'elle enverra ses meubles à Paris. (Ils iront ensuite à Québec et l'opération s'avérera très utile. Une partie de ce mobilier y est toujours dans sa maison.) Le projet de déménagement confirme la certitude des gens d'Alençon quant à son mariage. C'est à partir de ce moment qu'on cesse de l'inquiéter et de placer des espions à ses trousses.

En décembre 1638, Jean de Bernières rencontre secrètement Nicolas Laudier, à Falaise, pour traiter certaines affaires à l'insu de la famille de Madeleine. Laudier en profite pour majorer abusivement ses frais de déplacement. Passent les fêtes de Noël et de fin d'année.

Au moment où Jean et Madeleine pensent se rendre à Tours et rencontrer Marie de l'Incarnation, les Cent-Associés et certains jésuites font surgir deux nouvelles difficultés. Les premiers décident qu'il n'y a plus de place dans les deux navires de la flotte de 1639. Il aurait fallu, à leur avis, s'y prendre plus tôt. À moins d'affréter un navire aux frais de Madeleine.

Le prix est exorbitant. On pèse le pour et le contre. Finalement Jean de Bernières et Madeleine se souviennent de la parole d'un expert disant qu'elle ne peut reculer ou différer «sans résister au Saint Esprit». Ils se décident donc. Pourtant les Associés auraient dû, en vertu de leurs obligations, faire passer gratuitement cette expédition.

La seconde difficulté provient d'un jésuite, le père Barthélemy Vimont. Il doit partir par la prochaine flotte relever le père Le Jeune comme supérieur désigné de la mission de la Nouvelle-France. D'origine normande, il s'entend très mal avec les ursulines de la congrégation de Bordeaux dont fait partie la maison de Tours. Il insiste donc pour que l'on renonce à Marie de l'Incarnation, qu'il ne connaît pas, et que l'on choisisse des ursulines de Paris. Il est soutenu dans ce sens par le père Binet, provincial des jésuites de France. La conjoncture prend alors, encore une fois, une bien mauvaise allure.

Les deux questions sont finalement débattues au cours de l'assemblée générale de la compagnie des Cent-Associés du 11 janvier 1639, qui se tient chez le conseiller François Fouquet. Madeleine et Jean y sont invités. La jeune femme déclare sans ambages qu'elle ne veut pas partir sans Marie de l'Incarnation. Il lui est répondu que l'archevêque de Tours est un prélat très difficile. Elle persiste à demander des ursulines de Tours, et s'embourbe. Son point de vue est fort mal engagé. Heureusement, le père de

La Haye approuve le projet. Il connaît très bien Marie de l'Incarnation et explique que ce «dessein si pieux» a été «jugé tel par des personnes capables». Il développe habilement ce que Madeleine aurait voulu exprimer, cite des noms et l'emporte. On juge qu'il faut accorder ce que Madeleine demande. Finalement, ordre lui est donné d'aller elle-même chercher deux religieuses à Tours; une troisième religieuse viendrait de Paris. Marché conclu.

Sur-le-champ, le père provincial des jésuites de Paris — est-ce Binet, qui va quitter le poste, ou Dinet qui va le remplacer? — écrit une lettre au père Grandami, recteur du collège de Tours, et lui demande de jouer un rôle diplomatique délicat auprès de l'archevêque; messieurs de Sillery, Fouquet et Lauson en écrivent d'autres à ce prélat, au nom de la compagnie des Cent-Associés, le priant de donner mère Marie de l'Incarnation et une autre religieuse afin de fonder un monastère en Nouvelle-France. Deux autres lettres sont adressées à la supérieure des ursulines de Tours et à Marie de l'Incarnation elle-même. Madeleine, elle, écrit à Marie pour tout lui raconter. Cette lettre arrive le 22 janvier 1639.

Reste à régler tout le détail de l'organisation du grand départ. Un jésuite, le père Charles Lalemant, se charge d'affréter discrètement un navire. Avec les frais d'embarquement, il en coûtera huit mille livres.

Le 2 février 1639, Madeleine passe un contrat de transport avec un marchand d'Alençon, Pierre Paillart, pour effectuer le déménagement d'Alençon à Paris. Il s'engage à faire venir ses meubles. Le même jour, elle lui vend une de ses métairies pour cinq mille livres. Le lendemain, pour dix mille livres, elle vend à Nicolas Laudier l'Office de président des Élus d'Alençon dont elle disposait depuis la mort de son père.

Esprit pratique, elle se renseigne et réunit tout ce qu'il faudra en Canada: meubles, mais aussi matelas, couvertures, marmites, chaudières (seaux), poêles, grils et autres ustensiles de cuisine; sans oublier les vivres, des outils, de l'étoffe. Et même du tissu rouge pour habiller les futures élèves amérindiennes.

Enfin, vers la mi-février, on décide sans plus tarder de prendre le coche public — heureuse nouveauté que ce transport en commun — vers Tours, pour aller chercher Marie de l'Incarnation et sa compagne.

Par précaution, au cas où Madeleine serait encore poursuivie, Jean de Bernières et elle se font passer pour monsieur et madame de La Croix. Pendant tout le voyage vers Tours, on les prend pour mari et femme. Les domestiques, un valet de chambre et un laquais, pour Jean de Bernières, et la seule Marie Le Gorren pour Madeleine, jouent le jeu.

Arrivés à Tours, ils s'installent dans une auberge confortable et sympathique. Mais ils ont un peu peur. Impossible d'emmener la moindre religieuse sans autorisation de la supérieure et, surtout, de l'évêque. Or on a bien dit que monseigneur Bertrand d'Eschaux, cousin de Henri IV, parent, donc, du roi Louis XIII, ancien ami de Richelieu, est un vieillard d'autant plus grincheux qu'il a quitté la cour après un différend avec le cardinal ministre. On a ajouté qu'il est «naturellement aliéné de choses si nouvelles et qui étaient sans exemple». On le suppose imperméable à un projet aussi inédit.

Dieu merci, le père Grandami a su lui présenter l'affaire de la manière la plus habile qui soit. Lorsque monseigneur accueille Jean et Madeleine, il se dit «ravi de la grâce que Dieu lui fait de prendre deux de ses filles pour une si glorieuse entreprise». Face à ces bonnes dispositions, le père Grandami explique toute l'histoire du projet. Monseigneur prie alors le père Grandami de conduire Madeleine au monastère avec Jean de Bernières et de donner l'ordre, de sa part, à la mère supérieure de la faire entrer avec les mêmes honneurs qu'à lui-même, l'archevêque! Madeleine est si impatiente qu'elle arrive bien avant le père Grandami devant le porche des ursulines de Tours.

Elle y est reçue par des acclamations. La communauté au grand complet est rassemblée dans le chœur de la chapelle et entonne, dès qu'elle paraît, deux cantiques de joie, le *Veni Creator* et le *Te Deum Laudamus*.

Madeleine cherche Marie des yeux. Laquelle parmi toutes ces sœurs habillées d'une robe de serge noire, serrée à la taille par un cordon de laine de même couleur où est glissé un petit crucifix? C'est certainement l'une des professes de chœur au grand voile de toile légère et noire qui descend jusqu'aux pieds. Inutile de s'efforcer de la découvrir parmi les novices au voile d'étamine blanche.

Après les prières, Madeleine ne cherche plus. Une religieuse lui fait de grands sourires. Marie de l'Incarnation a vite reconnu la compagne d'un rêve prémonitoire qui se déroulait à Québec. Marie en a d'ailleurs rédigé un récit qui figure, en partie, dans beaucoup de livres d'histoire:

> ...il me sembla qu'une compagne et moi nous tenant par la main cheminions en un lieu très difficile... [c'était] un grand et vaste pays, plein de montagnes, de vallées.... de brouillards...

On se dirige vers une salle. Les religieuses se précipitent aux pieds de Madeleine pour la remercier d'avoir jeté les yeux sur une des leurs. La maison des ursulines est comme en feu. Il n'y en a pas une qui ne souhaite accompagner Marie de l'Incarnation. Quand on explique que monsieur de Bernières est l'ange visible de Madeleine, toutes se hâtent en file au parloir pour lui exprimer le désir qu'elles ont d'être choisies; sauf une.

Une petite jeune d'à peine vingt-deux ans, Marie de Savonnières de la Troche de Saint-Germain, qui deviendra Marie de

Saint-Joseph, issue d'une ancienne et noble souche angevine. Elle n'ose ni paraître ni déclarer son désir. On dirait qu'elle a reçu un coup de massue sur la tête. Elle est plus froide que la glace et paraît stupide. Pourtant elle aussi avait rêvé de partir. La voilà qui se met à prendre le projet en aversion, juste au moment où elle pourrait y participer. Marie de l'Incarnation la fait entrer presque malgré elle et la présente à Jean de Bernières. Il la voit, la met habilement à l'aise, la fait parler. Elle raconte alors un songe impressionnant où les anges des Amérindiennes la sauvent d'une situation tragique en France. Jean reconnaît rapidement en elle la personne qui doit accompagner Marie et Madeleine. La séance d'entrevues terminée — Madeleine ne sera restée que trois jours dans le monastère —, il va voir l'archevêque et fait en sorte que le prélat accorde sa permission à la jeune sœur. Le vieux monseigneur Bertrand d'Eschaux, après de rapides mais difficiles démarches, finit par faire plier les parents de la jeune fille.

Pendant ce temps, Marie Le Gorren, le valet et le laquais de Jean de Bernières visitent Tours, la vieille cathédrale, la basilique Saint-Martin, la rue du Commerce et la place Plumereau.

Tandis que Marie Le Gorren bavarde avec les servantes, les hommes vont probablement faire un tour dans les cabarets. Ils se renseignent sur le Canada; écoutent les bruits qui courent en ville, notamment sur Marie Guyart de l'Incarnation. On est intarissable sur sa renommée: femme d'affaires avisée, elle a dirigé une grosse entreprise de transports par eau et par terre, elle est intervenue comme conciliatrice lors de différends; artiste en broderie, habile en menuiserie, c'est une maîtresse femme, adorée des pensionnaires et des novices, respectée par les parents. Conclusion: personne ne veut qu'elle s'en aille et sa famille ne lui fera pas plus de cadeaux que celle de Madeleine. Elle est veuve, son fils de vingt ans poursuit des études à Orléans.

Une autre nouvelle frappe beaucoup les valets. Il paraîtrait que la mère de Marie Guyart, Jeanne Michelet, serait une cousine de Gabrielle d'Estrées, la célèbre maîtresse du roi Henri IV. Le roi François Ier serait même son arrière grand-père maternel, par la main gauche, évidemment[30].

Hélas, Marie Le Gorren apprend aussi quelque chose de très fâcheux. Elle s'est renseignée sur la Nouvelle-France. Plusieurs personnes, en Touraine, en ont entendu parlé. Isaac de Razilly, revenant d'Acadie, avait ramené avec lui vers 1635, deux jeunes franco-acadiennes, filles de Charles de Saint-Étienne de la Tour et d'une Amérindienne micmac. L'aînée serait le premier enfant métis connu dans l'histoire de l'Amérique française. L'une fut reçue chez les ursulines et l'autre chez les bénédictines. Ces jeunes filles, ou Razilly, ou sa suite, sont peut-être à l'origine des horribles bruits qui courent sur le climat canadien et surtout, sur les difficultés de la traversée. Effrayée, Marie Le Gorren, l'inséparable sœur de lait, qui jamais n'avait quitté Madeleine, même dans les occasions les plus délicates, décide qu'elle veut bien l'accompagner jusqu'à Dieppe, mais qu'elle ne prendra pas le bateau pour la Nouvelle-France.

Décision déchirante pour l'une et pour l'autre. De plus, il est inconcevable que Madeleine se dispense de suivante, autant pour sa commodité matérielle que pour la bienséance. Il faut à tout prix trouver une jeune fille pour le service de madame de

---

30. Si l'on confronte les informations de Leveel dans son *Histoire de Touraine* (1989) et celles du fils de Marie de l'Incarnation, Claude Martin, dans la *Vie* (1675) de sa mère, on peut construire le scénario suivant: François Ier avait remarqué la beauté de la femme et des filles d'un certain Babou de la Bourdaisière, un de ses argentiers, et les aurait «honorées» toutes les trois. L'une des jeunes filles aurait accouché d'un enfant, et l'aurait bien élevé, mais discrètement et sobrement. Marié, cet enfant aurait eu une fille, Jeanne, mariée au boulanger Florent Guyart, parents de Marie de l'Incarnation, qui se trouverait donc être d'ascendance royale, sans que cela figure sur les généalogies officielles, qui ne tiennent pas compte des enfants naturels.

La Peltrie. Finalement, un jésuite du collège propose une orpheline d'Azay-le-Rideau, petite ville de Touraine. On convoque Charlotte Barré au parloir. Madeleine et Charlotte se plaisent au premier coup d'œil. La première explique son projet, immédiatement accepté par la seconde, à condition qu'elle soit admise un jour chez les ursulines du nouveau couvent de Québec — un vieux rêve que seule sa pauvreté l'empêchait de réaliser. Marché conclu. À Tours, ni son oncle, ni son frère ne veulent la laisser partir. Elle tient bon, résolument, et, très émue, refuse d'aller à Azay-le-Rideau «seulement dire adieu à sa mère», de peur de manquer de courage. Jusqu'à Dieppe, Madeleine aura deux suivantes.

Pendant ce temps, la sœur et le beau-frère de Marie de l'Incarnation exercent des pressions pour qu'elle abandonne son dessein. C'est mal la connaître. On refuse de payer l'entretien de son fils? Eh bien, la providence y pourvoira! À vingt ans, il est temps qu'il se débrouille seul. D'ailleurs, plusieurs amis promettent de veiller sur lui.

Tout est prêt. Mais voici que, le jour du départ, monseigneur Bertrand d'Eschaux a des inquiétudes au sujet des dispositions financières de la fondation. Soucieux de protéger les religieuses, il exige que le contrat soit rédigé en sa présence, avec Jean de Bernières, le père Grandami et Madeleine. À cet effet, il envoie son propre carrosse pour que tous, ursulines comprises, le rejoignent à l'archevêché. Jean de Bernières le supplie de différer, jusqu'à ce qu'on soit à Paris. Madeleine donne sa parole de pouvoir assurer trois mille livres de rente annuelle. Finalement, Monseigneur se contente de cette promesse et rédige une recommandation au père de La Haye, pour le représenter en cette affaire.

Après une messe à la chapelle, l'archevêque offre alors un déjeuner d'adieux dans la salle à manger du palais épiscopal de Tours, à côté de la cathédrale. (Ce palais est devenu musée des Beaux-Arts, mais les salles, restaurées, sont restées en l'état. Il ne manque que le monte-plat qui transportait les mets de la cuisine, au sous-sol, à la salle à manger.) Avant de quitter les courageuses aventurières, Monseigneur leur fait une belle exhortation, pas trop longue, mais pleine de tendresse; charmant, ce vieillard qu'on prétend grincheux. Puis il rédige de superbes «lettres d'obédience» (ordre de mission):

> ...ce jour en notre palais archiépiscopal de Tours est comparu par devant nous très dévote et vertueuse dame Madeleine de Chauvigny, veuve de feu messire Charles de Gruel, vivant chevalier et seigneur de La Peltrie, faisant sa résidence et demeure ordinaire en la ville d'Alençon, pays de Normandie, en ce royaume de France, laquelle dame nous ayant communiqué le désir que Dieu lui a donné de promouvoir sa plus grande gloire et la conversion des âmes infidèles du pays de la Nouvelle-France, elle n'a pas estimé pouvoir rencontrer un meilleur moyen ni plus efficace que de procurer l'établissement d'un couvent de religieuses de l'ordre de sainte Ursule en ce pays, reconnaissant combien cet ordre a été fructueux depuis que par l'ordre de la providence divine il y a été établi, ayant pris résolution de se donner soi-même au couvent dudit ordre qu'elle désire établir, et pour la fondation de celui-ci donner partie de ses biens temporels[31].

Et maintenant, en route pour Paris, la cour, la reine, la gloire et, enfin, l'embarquement.

---

31. Archives des ursulines de Québec, cité par dom OURY (1974) p. 68-69.

12

LA REINE, LA COUR ET LE DÉPART

Tout généreux qu'il soit, Jean de Bernières ne tient pas à multiplier les factures d'auberge. Arrivés à Tours le 19 février, Madeleine et lui en repartent le 22, avec une suivante et deux religieuses en plus. Quelle rapidité pour partir fonder en Amérique! Du jamais vu, à plus d'un titre. Les Tourangeaux sont bouleversés; les uns, comme l'archevêque, avec fierté; les autres, comme les parents de Marie ou de Charlotte, avec fureur. Leurs habitudes sont dérangées, et par des femmes; c'est un comble!

Après une halte au monastère, pour dire adieu aux ursulines et prendre les bagages, les voyageuses empruntent la route d'Amboise. Dans le carrosse, se trouvent Marie de l'Incarnation et la jeune Marie de Saint-Joseph; Jean de Bernières, son valet et son laquais, Marie Le Gorren — bien triste malgré tout de rester en France; Charlotte Barré, dix-neuf ans — enthousiaste à l'idée de partir, mais le cœur déchiré d'avoir laissé sa vieille maman. L'avant-veille, elle arrivait au parloir des ursulines sans savoir pourquoi et la voici en route pour l'Amérique et pour toujours!

Les opérations tourangelles ont été menées si rondement que la supérieure du monastère de Tours n'en revient pas. Pour lui laisser le temps de dire adieu aux voyageuses, l'archevêque lui a confié une mission à Amboise, première étape. Elle les y accompagne. Là se trouvent le château de François Ier, le manoir de Léonard de Vinci, et un couvent d'ursulines où le groupe ne met pas les pieds: tant que la fondation à Québec n'est pas conclue devant le notaire parisien, il est à craindre que la famille de Madeleine ne fomente quelque complication. Ils auraient les moyens de repérer les voyageurs par certaines relations en liaison avec des monastères d'ursulines.

L'itinéraire le long de la Loire est magnifique. À Amboise, on traverse le fleuve, ce qui permet une perspective intéressante sur la tour du château. Puis on admire de loin l'austère Chaumont que la reine Catherine de Médicis — épouse d'Henri II et mère de trois rois, François II, Charles IX et Henri III — avait échangé contre l'élégant Chenonceaux, bâti sur une belle rivière, à la suite d'une tractation vengeresse contre Diane de Poitiers, maîtresse de son défunt mari. Autre château à Blois — la même Catherine, dit-on, y empoisonnait ses ennemis. Là, on enjambe à nouveau la Loire pour arriver à Orléans par le pont que Jeanne la Pucelle avait emprunté deux siècles plus tôt.

Pendant le voyage, Jean de Bernières règle l'emploi du temps et transforme le carrosse en monastère roulant. Il alterne les psaumes, les prières et les temps de silence. Ou il entretient les voyageuses de sermons de son cru. D'un côté, cela occupe le temps qui est long; on en oublie les cahots du chemin. Mais ni les valets, ni Madeleine, ni même les sœurs, n'ont fait vœu d'obéissance à ce cher Jean. Qui sait si l'on n'aurait pas aimé, de temps en temps, raconter des histoires, rire et faire des commentaires sur le paysage ou les passants? Ou dormir. Mais Jean de Bernières est ainsi fait: toujours un pied dans l'autre monde! Heureusement, aux étapes, il choisit de bonnes auberges. Il paye sans lésiner. Son laquais et son valet s'occupent des dames avec beaucoup de gentillesse. Évidemment, tout le monde joue la comédie du mariage.

À Orléans, surprise: Claude, le fils de Marie de l'Incarnation, se présente à l'auberge. Perfidement prévenu par sa tante, le jeune homme vient faire une scène à sa mère pour l'empêcher de partir. Marie est impressionnante de calme et de bon sens. Finalement le jeune homme s'en va, décidé à se prendre en mains. Elle l'a remis à sa place avec affection et fermeté. L'incident est clos, du moins pour l'instant. Il fera quelques fredaines l'année suivante, puis entrera chez les bénédictins, à la plus grande joie de sa mère. Après Orléans, on fonce vers l'Île-de-France, à travers les chemins de la Beauce, puis vers Paris par la vallée de Chevreuse.

Enfin, le 26 février, les voici près de la capitale. L'arrivée des voyageuses est tenue secrète. Le projet d'aller en Nouvelle-France est à ce point extraordinaire qu'elles seraient accablées de visites si trop de monde en était informé. Toutefois, la mère du père Poncet, qui est dans la confidence, vient au devant du groupe et l'invite à entrer dans son confortable carrosse pour le reste du chemin. On se dirige alors tout droit vers la maison de Pierre de Meulles, écuyer, conseiller, receveur général des finances à Orléans, maître d'hôtel chez le roi. Deux de ses filles ont fait leurs études chez les ursulines de Tours. De parent d'élèves, il est devenu un grand ami.

Cet homme, fort obligeant, s'intéressait beaucoup à la Nouvelle-France. Son fils Jacques y sera intendant de 1682 à 1686. Ajoutons qu'en visitant Paris, on peut voir le petit quartier qu'il habitait. L'église Saint-Louis s'appelle désormais Saint-Paul (métro du même nom), assez proche du Châtelet, entre le Louvre et la Bastille. Quant aux bâtiments des jésuites, ils sont devenus le lycée Charlemagne.

Pierre des Meulles, donc, prête sa maison de Paris. Ce pied-à-terre est extrêmement pratique. Il communique avec le cloître des jésuites et leur église en construction, Saint-Louis. Ce chantier fait l'étonnement de tous; c'est la plus haute coupole jamais construite jusqu'alors.

Le logement est suffisamment spacieux pour que Jean de Bernières y ait ses appartements, les religieuses et Madeleine, les leurs. On fait tapisser de tentures amovibles et meubler les chambres. Tout le monde se presse pour rendre service. Cet endroit, situé en plein cœur de la capitale, va faciliter les démarches. Les ursulines de Paris voudraient bien que les deux Marie descendent chez elles. Madeleine s'y oppose. Marie de l'Incarnation serait enfermée derrière la clôture et ne pourrait prodiguer ses conseils avisés lors des négociations d'affaires. Dieu merci, elle est du même avis, et décline l'invitation.

La présence de Marie est d'autant plus nécessaire que, par malchance, Jean de Bernières tombe malade. Il est obligé de garder la chambre. Très inquiète, Madeleine ne le quitte pas d'un instant, reçoit les médecins comme une épouse attentionnée. Tout le monde lui parle comme à la femme du malade. Évidemment, son masque est attaché au rideau du lit, comme dit Marie de l'Incarnation. Marie de Saint Joseph, Marie Le Gorren et Charlotte Barré, en piquent de mémorables fous rires. Jean, qui ne semble guère avoir le sens de l'humour, est tout consterné. Il craint qu'on le prenne pour un imposteur et n'arrête pas de se lamenter: «Que dira monsieur de la Bourbonnière que je me sois ainsi moqué de lui? Bon Dieu, que dira-t-il? Je n'oserai paraître en sa présence. Toutefois, j'irai me jeter à ses pieds pour lui demander pardon.» Le pauvre n'en veut pas le moins du monde aux espiègles jeunes femmes. Comme on parle, également en riant, de ce qui les attend au Canada et des risques encourus, il se désole pour elles, mais n'a aucune pitié pour Marie de l'Incarnation et Madeleine à qui il souhaite, tout simplement, le cher homme, d'être saintes et martyres, «égorgées pour Jésus-Christ»! En attendant, la maladie se prolonge. Ce qui s'avère, finalement, très utile, car Madeleine et Marie peuvent entreprendre des démarches qu'elles n'avaient pas prévues.

Les dames de la cour, que Madeleine avait déjà rencontrées lors de son précédent séjour à Paris, désirent faire la connaissance de Marie de l'Incarnation. C'est l'occasion ou jamais. Marie et Madeleine ont donc des entretiens avec la duchesse d'Aiguillon, la comtesse de Brienne, la marquise de Sennecey, madame de Suramond et madame de Senneville. Toutes ces dames veulent absolument participer à la nouvelle fondation. Elles le feront, d'ailleurs. En attendant, la comtesse de Brienne offre un tabernacle, un voile de calice et des fleurs de broderie, qui, au XVIIe siècle, constituent de très beaux cadeaux, chargés de lourds symboles. Elles font aussi faire des portraits de Madeleine, de Marie de l'Incarnation et de la jeune Marie de Saint-Joseph. (Des copies de ces trois portraits existent toujours au monastère des ursulines de Québec.)

*

* *

Ces contacts se révéleront d'une grande importance stratégique. Ces dames et leurs amies sont riches, proches du pouvoir et fières d'être associées à un projet innovateur. Sur le moment, elles n'ont pas donné beaucoup d'argent. À l'avenir, Marie de l'Incarnation les tiendra régulièrement au courant chaque année et leurs dons compléteront ce que Madeleine ne pourra assurer avec sa trop petite fortune.

Désormais, l'expédition est une affaire de femmes: les ursulines, Madeleine de La Peltrie et ses alliées, qui représentent ce qu'il y a de pouvoir féminin à la cour de France et subventionnent le projet. Le tout au bénéfice d'autres femmes, celles de la vallée du Saint-Laurent. Ces dames sont loin de se douter que le monastère dont elles suscitent la création, né dans le cœur de Madeleine de La Peltrie et celui de Marie de l'Incarnation, deviendra une sorte de conservatoire de la langue française en Amérique du Nord.

Malgré la discrétion, l'annonce du départ imminent s'est vite propagée. En mars 1639, la comtesse de Brienne envoie son carrosse pour convoyer Madeleine et les deux ursulines de Paris à la cour de Saint-Germain-en-Laye car la reine elle-même, Anne d'Autriche, veut les rencontrer. À l'époque, voir le roi ou la famille royale était la plus considérable et la plus heureuse des faveurs. Tout le monde envie ceux qui les approchent. Il faut une demi-journée pour aller de Paris à Saint-Germain, par le pont de Neuilly et la forêt de Marly. Après avoir trotté sur les petits pavés, on franchit un portail bien gardé pour entrer dans le château, neuf à l'époque, de Saint-Germain. Il faut descendre de carrosse au pied d'un escalier jalonné de gardes. Déjà l'on respire la présence royale. Les deux religieuses, habituées à maîtriser leurs émotions, sont probablement graves et détendues, comme à l'habitude. On imagine Madeleine un peu anxieuse. Des dames viennent au devant d'elles et les escortent, pour faciliter le passage des seuils, tous gardés. D'autres dames, de plus haut rang, attendent à l'intérieur, en haut d'un escalier. Les unes et les autres parviennent enfin, dans un froufroutement de robes et de jupons, à un boudoir lumineux, garni de miroirs. La reine est là, belle comme le jour, délicieusement parfumée. Ses habits étincelants contrastent avec les robes des dames alentour, pourtant richement vêtues. Anne d'Autriche s'impose. Tout de suite, sachant qui sont les visiteuses, elle les regarde avec un amour tout singulier et se dit «très contente de leur passage en Canada». Elle veut qu'on lui raconte comment on en est venu à exécuter cette entreprise. Modeste, polie, rapide et précise, Marie de l'Incarnation explique, ne manquant pas de mettre Madeleine en valeur. La reine promet son aide, autant qu'elle le pourra. Elle n'oubliera pas son engagement et fera, à plusieurs reprises, des dons sur sa cassette personnelle. Au passage, les visiteuses ont la grande joie de voir le dauphin de six mois, le petit Louis XIV, l'enfant le plus attendu de France. Il dort comme n'importe quel bébé, non loin de sa nourrice.

Elles ne rencontrent ni le roi Louis XIII, ni son ministre Richelieu. Mais elles font manifestement très grande impression sur la reine, qui se dit «très édifiée» de ce que «non contente de donner son bien», Madeleine risque sa propre vie. Sa Majesté trouve sans doute difficile mais normal que les religieuses partent; elles ont choisi de se sacrifier. Mais que la dame qu'est Madeleine s'en aille aussi lui semble extraordinaire. Sous plusieurs prétextes, elle les fera revenir à la cour.

Pendant ce temps, une ursuline de Paris se prépare, elle aussi, pour la grande aventure, comme l'ont voulu les pères jésuites Binet et Vimont. Mais voici qu'en dépit de l'intervention de la reine elle-même, l'évêque de Paris refuse, et fait provisoirement échouer le plan des pères qui favorisent les ursulines parisiennes. La partie est remise à l'année suivante, mais il va falloir renégocier le projet de contrat de fondation dans lequel l'ursuline parisienne est comprise.

Enfin, Jean de Bernières est rétabli. On se rend donc, le 28 mars 1639, chez maître René Fiessé, notaire au Châtelet, pour finaliser le contrat avec Nicolas Laudier, l'agent de Madeleine. Ce Laudier suscite des difficultés, prétendant que Madeleine ne peut pas promettre, comme annoncé devant monseigneur Bertrand d'Eschaux, à Tours, de verser trois mille livres de rente annuelle, car elle est en procès avec ses demi-sœurs, ses cousins et sa belle-famille qui n'entend guère laisser fuir au Canada les deux mille livres de douaire.

Jean de Bernières et Marie de l'Incarnation conseillent à Madeleine de ne pas discuter et de ne s'engager que pour une rente de neuf cents livres, fondée sur la terre de Rouillé-Haranvilliers, qui lui est revenue sans conteste après le partage consécutif à la mort de son père. Elle donnera plus, au fur et à mesure de ses rentrées de fonds. Elle en profite pour parapher une autre procuration en faveur de Laudier, afin qu'il verse ses revenus à la sœur de Jean de Bernières, supérieure des ursulines de Caen, et qu'il conduise sa nièce Jeanne, fille de sa demi-sœur Madeleine, chez les bénédictines où elle veut devenir moniale. Elle offre deux mille livres de dot.

Le 29 mars 1639, les voyageuses quittent Paris. À Rouen, le père Charles Lalemant, qui avait discrètement préparé toutes choses pour ce voyage, escorte les voyageuses jusqu'à Dieppe où l'évêque de Rouen ne dresse aucun obstacle pour laisser partir une excellente et robuste ursuline, Cécile Richer.

On arrive au port vers le 4 avril. Le 18, le chargement des navires est terminé. Mais la rade est bloquée par la tempête. Les adieux se prolongent, déchirants pour Marie Le Gorren, dont l'avenir sera difficile après le départ de Madeleine, qui lui laisse cependant de quoi vivre.

Madeleine et Marie profitent du temps libre pour écrire. Madeleine envoie une longue lettre à Jourdaine de Bernières, la sœur de Jean, et la remercie de s'occuper, elle aussi, de ses affaires; elle lui dit tout le bien qu'elle pense de son frère et combien elle regrette de quitter celui qui a été un ange pour elle ces dernières années.

Madeleine aurait voulu aller embrasser Jourdaine à Caen. Mais ce n'est pas le moment. Elle ignore de combien de temps elle dispose; et l'on parle beaucoup de troubles qui se fomentent dans les parages. Il est question d'introduire un nouvel impôt sur le sel, la gabelle. Les paysans normands sont furieux. C'est ce qu'on appellera la révolte des «va-nu-pieds». D'autant plus révoltés que le surintendant des finances, Claude de Bullion, ne leur inspire aucune confiance.

$$*$$
$$* \quad *$$

Cette révolte est l'une des rébellions cycliques qui ont traversé les campagnes et certaines villes de France. Elles conduiront, cent cinquante ans plus tard, à la Révolution. Mais en 1639, l'on vénère le roi, même si l'économie rurale est fragile et que la moindre disette provoque crises et ravages.

La France de Richelieu et de Louis XIII connaît d'autres problèmes: à l'intérieur, les «grands» (la vieille noblesse), jaloux, menacent constamment le pouvoir et n'hésitent pas à le trahir en s'alliant aux ennemis étrangers, anglais ou espagnols. Le peuple, lui, du dernier des crocheteurs ou des journaliers aux marchands et négociants, en passant par les laboureurs, les artisans et les meuniers, aspire au calme. Une paix sociale qui permettrait au pouvoir de s'intéresser aux colonies et à la Nouvelle-France, toujours menacées sur mer. La guerre contre les Anglais est finie pour l'instant, mais les relations sont tendues avec l'Espagne, qui enserre la France (Dunkerque est espagnole). Les vaisseaux ibériques sont donc à redouter sur la mer que l'on s'apprête à traverser.

*

* *

Enfin, le 4 mai, c'est l'embarquement. Voilà que Jean de Bernières ne veut plus quitter Madeleine et Marie! Il lui faut pourtant rester et s'occuper de gérer l'argent de Madeleine dont il est le procureur. La mort dans l'âme, il accompagne les femmes jusque dans le bateau, et n'en sort qu'au dernier moment.

N'insistons pas sur la traversée. Madeleine l'a passée malade, littéralement suspendue aux jupes de Marie de l'Incarnation, laquelle gardait toujours son sang-froid, malgré les Dunkerquois, les pirates, la tempête, les icebergs, les récifs et autres risques de naufrage. Son seul bon souvenir, ce sont les histoires drôles de Marie de Saint-Joseph qui ne savait jamais quoi inventer pour faire rire. Elle réussissait à tout coup quand elle se moquait de Madeleine, en l'imitant: «ah, Madame, on ne pense plus à son cher Canada et à ses chers Indiens!»

À l'arrière-plan: le monastère des ursulines de Québec en 1650. À l'avant-plan: la maison de Madeleine qui est devenue aujourd'hui le Musée des ursulines de Québec. Madeleine de La Peltrie est représentée discutant devant sa maison. À droite: cabanes où logent les Amérindiennes. À gauche: le gouverneur, M. d'Ailleboust, à cheval. Au centre: le puits et les vaches du monastère. Au premier plan: le père Jérôme Lallemant, s.j., supérieur des missions du Canada. (Photo: Musée des ursulines de Québec)

Magdelaine de chavigny de la peltrie

Portrait de Madeleine de La Peltrie: ne pas la prendre pour une religieuse. Comme les veuves de son temps, elle porte une coiffe «à l'antique». (Photo: Monastère des ursulines de Québec)

Sa signature telle qu'elle figure à la fin des contrats de donation.

L'enfance de Madeleine s'est déroulée à l'hôtel Cochon de Vaubougon dans la Grande Rue, en plein centre du Vieil Alençon.

La fameuse dentelle Point d'Alençon. (Photos: Office du tourisme d'Alençon)

L'actuelle préfecture d'Alençon fut un hôtel particulier que Madeleine a vu construire en 1630. (Photo: Office du tourisme d'Alençon)

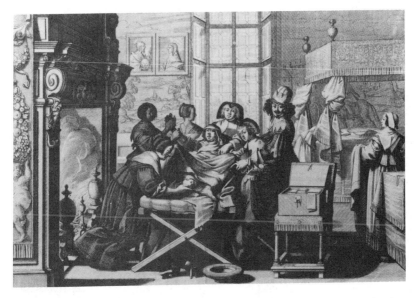

Petite école de filles du temps de Louis XIII. (Abraham Bosse, Musée des beaux-arts de Tours)

Indiens tels qu'on les imaginait du temps de Champlain. (Archives nationales du Québec)

Un capitaine qui pourrait être l'époux de Madeleine, Charles de Gruel de La Peltrie. Dans le lointain, le siège de La Rochelle? (Abraham Bosse, Musée des beaux-arts de Tours)

L'artiste graveur Abraham Bosse a saisi des scènes de la vie quotidienne de son
époque. Tels le contrat de mariage...

... et l'accouchement. Derrière le lit à baldaquin se cache un espion (invisible sur
l'image). La naissance d'un enfant modifie l'échiquier des héritages. (Musée des
beaux-arts de Tours)

Le manoir de La Peltrie, tel qu'il était au XVIIᵉ siècle. (Photo: Mairie de Bivilliers)

L'église de Bivilliers. L'extension à l'arrière est postérieure à l'époque de Madeleine... les fils électriques aussi. (Photo: Mairie de Bivilliers)

Marie Guyart de l'Incarnation, la meilleure amie de Madeleine. Elles étaient «si conformes pendant leur vie que la mort ne devait pas les séparer». (Photo: Ursulines de Québec)

Le manoir de Robert Giffart, ami de Madeleine de La Peltrie, à Beauport. (Photo: Archives nationales du Québec)

Arrivée des navires de France. Les chaloupes conduisent au rivage passagères et passagers; les Amérindiens forment le comité d'accueil. (Photo: Archives nationales du Québec)

Cinquième partie

LES GRANDES CAVALES
EN AMÉRIQUE

13

L'ACCUEIL DU PERCHE À QUÉBEC

(D'après des extraits de lettres de passagers de la flotte de 1639, gouvernée de Dieppe à Québec par le capitaine Bontemps[32].)

15 juillet 1639. Les trois navires montrent un à un leurs voiles dans l'anse de Tadoussac. Traversée de dix semaines, pénible record. Sans eau douce, car les barriques se sont gâtées dès le départ; sans crudités, qui ne se seraient pas conservées; sans toucher terre. On ne s'arrête dans cette anse que pour changer d'embarcation et remonter le Saint-Laurent sur des voiliers à plus faible tirant d'eau.

26 juillet. On jette enfin l'ancre pour fêter sainte Anne sur la rive... et manquer de chavirer dans la hâte d'embarquer sur les canots pour fouler la terre ferme.

29 juillet. Vents contraires; on continue la remontée du Saint-Laurent à la rame, sous la pluie, affamés et assoiffés.

---

32. Les lettres qui demeurent sont celles des jésuites et de sœur Cécile.

31 juillet. Trempés jusqu'aux os, voyageurs et voyageuses accostent à l'île l'Orléans. On s'y sèche tant bien que mal autour d'un feu, sous des cabanes de branchages où l'on passe la nuit. Dieu merci, le gouverneur de Québec fait envoyer sa propre chaloupe, prestigieusement tapissée, mais surtout pleine de «rafraîchissements»: pain, légumes frais et boissons.

1er août 1639. Sous la conduite de Madeleine de Chauvigny, dame de La Peltrie, glorieuse arrivée des premières enseignantes et des premières hospitalières du Nouveau Monde — du moins en sa partie nord —, au son des fifres et des tambours de la garnison royale de Québec.

Le canon tonne pour accueillir les voyageurs. Les voyageuses sont à la fois ravies de toucher définitivement la terre ferme et désolées d'être si crottées. Elles n'ont pas pu se changer, leurs bagages étant restés à Tadoussac.

Amérindiens et hommes de la colonie, gouverneur en tête, attendent sur le rivage. Presque une centaine de personnes, le tiers ou le quart de la population blanche, excepté les femmes, restées aux foyers avec les jeunes enfants. Curieusement, ces messieurs ne remarquent ni la fatigue, ni la saleté, mais le bonheur et la bonne mine des voyageuses.

*
* *

On a du mal, au XXe siècle, à imaginer la scène. Le site de Québec enfoui dans la forêt, sans château Frontenac. Quelques masures, sur le port; quelques chemins, mal tracés. De Sillery à la côte de Beauport, de celle de Beaupré à Saint-Charles, on se déplace en chaloupe ou en fragile canot d'écorce. La seule route praticable est la dangereuse voie d'eau. Les nobles portent le costume Louis XIII, comme en France. Les Amérindiens n'ont rien à leur envier. Ils arborent pour la circonstance leurs plus belles plumes et peaux. Les gens modestes sont vêtus de vestes et pantalons de grosse laine, reprisés de ficelle de chanvre. Ils ajoutent au costume de la vieille France un bonnet de laine rouge, utile en toute saison; même l'été, contre les insectes.

Sur la grève, on repère des silhouettes. L'épée au côté, le chapeau emplumé, c'est le gouverneur, monsieur de Montmagny et son lieutenant, le chevalier Bréhant de l'Isle, parés tous deux de la croix de Malte. En s'approchant, Madeleine de La Peltrie peut reconnaître les Percherons: Robert Giffard et ceux qu'il a conduits, Jean Guyon, le maître maçon, Zacharie Cloutier, maître charpentier, Henry Pinguet, marchand, Marin et Gaspard Boucher, tous partis quatre ou cinq ans plus tôt. Sans oublier les importants frères Juchereau, Noël, devenu aviseur légal du gouverneur, et Jean. Voici ceux qu'elle ne connaît pas encore: Jean Bourdon, ingénieur et arpenteur, son grand ami l'abbé Le Sueur, quelques membres de la tribu Legardeur-Leneuf, installée aux Trois-Rivières, dont Pierre Legardeur de Repentigny, lieutenant du gouverneur.

Les colons organisent une cérémonie d'accueil dont le faste, qu'on prévoit souligner par un feu d'artifice, dépasse la joie pourtant extraordinaire de voir débarquer un hôpital — les trois augustines —, un collège pour garçons — les jésuites arrivés par la même flotte — et une institution pour jeunes filles — Madeleine de La Peltrie et les ursulines. En effet, les voyageurs sont les messagers d'une nouvelle très attendue: la naissance du petit dauphin.

Un acte de réception signé à la fois par le gouverneur, les jésuites, les religieuses et Madeleine de Chauvigny, qui pour la circonstance garde son nom de jeune fille, fera passer cet événement à la postérité. On y consigne le grand contentement que cette arrivée suscite chez les colons et les Amérindiens, sans oublier de préciser la surface et le lieu des terres concédées aux religieuses tant attendues pour vaquer à l'éducation des petites filles: «six arpents ou environ de terre en nature de bois en l'étendue de la ville de Québec» et soixante arpents dans la banlieue, avec mission de faire défricher le tout «tant pour y bâtir et élever leur dite maison et couvent, que pour semer des grains pour leur entretennement (*sic*)».

Les ursulines, qui ne connaissent aucun colon, vont rapidement s'installer dans la petite maison sur le port louée, de France, à Noël Juchereau. Pour Madeleine, ce sont des retrouvailles avec ces gens de Mortagne et Tourouvre perdus de vue depuis leur départ. Une seconde fois, le Perche l'accueille, dans ce contexte tout différent. Quelle histoire[33]!

Elle est à cent lieues d'imaginer ce qu'engendrera l'œuvre des ursulines: la culture française en Amérique du Nord, transmise de mères en filles avec l'aide des religieuses enseignantes, implantée dès le début au cœur de ce premier noyau de colons qui deviendra un nouveau peuple, une autre manière d'être francophone.

Les meneurs de cette transplantation sociale sont de vieilles connaissances du Perche: Robert Giffard et les frères Juchereau, alliés en la personne d'Henry Pinguet, leur cousin commun. Chacun de ces visages a, comme le sien, une histoire mi-percheronne mi-laurentienne qui tisse les premières mailles d'un réseau entre France et Nouvelle-France. Dans les quatre siècles qui suivront, les intempéries politiques ou sociales l'altéreront ou le déferont en partie, mais il restera toujours pour lui donner

---

33. L'appartenance de madame de La Peltrie au réseau percheron n'a, jusqu'à présent, pas été mise en relief par ses biographes. Ce fait qui a été établi en France par les travaux de madame Montagne n'a pu que se prolonger en Nouvelle-France. La présence de Madeleine à certains événements consignés sur les fiches d'état-civil l'attestera d'ailleurs.

forme, ce désir des premiers colons, de leurs descendants et de leurs cousins de France.

Qui étaient-ils donc, ces tout premiers colons dont la vie s'est construite de chaque côté de l'Atlantique? La plupart, parents ou alliés de Giffard et des Juchereau, barrés dans leur élan vital par des structures sociales étanches, se sont donnés à une vie passionnante de pionniers sur les bords du Saint-Laurent; parents, beaux-parents, grand-parents des premières élèves des ursulines, ancêtres des francophones d'Amérique, témoins de la vie de Madeleine, de sa jeunesse à sa vieillesse.

*
* *

Robert Giffard, bien connu dans le Perche et à Québec, fils de Louise Viron, veuve en premières noces de Jean Pinguet — parent d'Henry Pinguet, prospère marchand à Tourouvre devenu seigneur et marchand à Québec qui sera grand-père d'une élève et future religieuse ursuline, Marie Pinguet. Louise fut remariée à Guillaume Giffard, soldat retraité, sonneur de trompette du hameau du Montcel, à Autheuil, près de Tourouvre. Ce qui explique pourquoi on nomme parfois son fils Robert monsieur du Montcel. Après la mort de ses parents, survenue très tôt, Robert est élevé à Tourouvre par son demi-frère prêtre Nicolas Pinguet. Celui-ci, constatant l'entregent et les dispositions du petit pour l'étude des sciences naturelles, l'envoie à Paris suivre une formation d'apothicaire et de chirurgien. Il y noue amitié avec un condisciple originaire de Rouen, nommé Louis Hébert.

Revenu à nouveau au domicile fraternel, Robert s'installe et se fait connaître comme apothicaire. En 1615, son frère étant nommé à Mortagne, il vend son commerce de Tourouvre pour exercer ses talents dans la capitale du Perche. Mais en 1619, ce frère est nommé curé d'un gros bourg assez éloigné. Robert décide alors de réaliser un rêve: rejoindre à Québec son ami Louis Hébert, le premier colon au Canada venu avec Champlain.

Louis Hébert: un as en horticulture. C'est à lui que l'on doit l'acclimatation des pommiers, poiriers, pruniers, carottes, oignons, salades et autres plantes françaises, et la culture des variétés américaines inconnues en France: blé d'Inde (maïs), courges, haricots et pois de toutes sortes. Il est hélas mort à la suite d'une chute avant que Madeleine ne puisse le connaître. Mais plusieurs des petites filles de Louis Hébert seront les premières élèves des ursulines, notamment Françoise, qui porte son nom.

C'est le temps où les jésuites défrichaient et où Champlain, l'explorateur, se faisait missionnaire activement et délibé-rément[34]. Pour aider les Amérindiens à mieux vivre et moins dépendre des forces de la nature, la présence de communautés villageoises françaises, avec leurs cultures, leur élevage, leurs coutumes et leur religion catholique, lui semblait bénéfique. Les Percherons se font les premiers réalisateurs de l'idée de Champlain.

Dans leur maison de bois rond, les femmes, moins visibles, n'ont rien à envier aux hommes. Marie Rollet, parfaite pion-nière, modèle pour les suivantes, fut l'épouse de Louis Hébert avant de se remarier avec Guillaume Huboust. Marie Renouard, la femme de Giffard, sera son émule. Prudente, avisée, économe, adroite, robuste, c'est exactement la personne qui convient pour bâtir une nouvelle lignée. Astucieuse, elle récupère, notamment, l'étoffe noire des vieilles soutanes des jésuites pour doubler les manches des manteaux de sa famille! Cent ans plus tard, elle aura cent quarante-quatre descendants. Deux de ses filles épou-seront des fils de Jean Juchereau, en 1645 et 1649. En 1670, ils

---

34. Thèse défendue par Dominique Deslandres (1990).

auront déjà, à eux quatre, quinze enfants, bientôt seize[35]. Tous se marieront; sauf trois qui deviendront religieuses: une ursuline et deux augustines, dont une célèbre supérieure et annaliste de l'Hôtel-Dieu de Québec, mère Jeanne-Françoise Juchereau de Saint-Ignace.

Les Juchereau: une vraie famille-pont. Jehan Juchereau, le père, était un commerçant adapté aux fluctuations du marché. Quand Madeleine fait sa connaissance, en 1622, il est installé depuis peu à La Ventrouze, près de Tourouvre. Greffier héréditaire du Perche, gendre, après ses secondes noces, d'un noble, Jehan Pineau sieur des Moulineaux, il fait le commerce du vin et du bois, investit dans la transformation de ce bois en charbon pour les mines et les hauts fourneaux. Parmi ses enfants, il a eu — d'un premier mariage avec une certaine Jehanne Creste, tante de Jean Creste qui arrivera en 1649 — trois fils, dont deux mènent des carrières hors des sentiers battus de Tourouvre. Ce sont Jean, l'aîné, qu'on appelle monsieur de More, marié à Marie Langlois, qui arrive à Québec avec sa famille dès 1634, et Noël.

Après de solides études de droit à Paris, Noël Juchereau a acquis une expertise en finance. En 1623, ce célibataire de trente ans cherche où investir énergie et actifs. Il possède, notamment, la métairie des Châtelets, au Perche, d'où son nom de monsieur des Châtelets. Un petit mystère plane à son sujet. Était-il ou non membre des Cent-Associés? Au mois d'octobre 1628, il vend plusieurs pièces de terres provenant de la succession de son père. Ceci pourrait correspondre au montant de sa quote-part de trois mille livres. Une autre personne lui aurait alors servi de

---

35. Tous les chiffres démographiques de ce travail sont établis par CHARBONNEAU *et al.* (1987), et par ceux du *Registre de la population du Québec ancien.*

prête-nom sur les listes officielles. En 1639, Noël Juchereau, toujours célibataire, fait le va-et-vient entre France et Canada. Gestionnaire, armateur et animateur de grande envergure, il donne beaucoup d'élan à la Nouvelle-France.

Le troisième frère Juchereau, Pierre, ne viendra jamais en Nouvelle-France. Il s'occupe des affaires de ses frères et deviendra fermier du manoir La Peltrie. Après le départ de son frère Jean, c'est lui qui recrute les colons se destinant à la vallée laurentienne.

D'autres êtres d'élite secondent Giffard et les Juchereau: les Boucher, les Cloutier, les Guyon. Maître Jean Guyon, polyvalent, est loin d'être le dernier venu; il a sculpté à Tourouvre une belle «montée» — escalier de pierre, consolidé de fer et décoré d'un ange — au clocher de l'église Saint-Aubin qui existe toujours. À Québec, il bâtit des maisons et rédige des contrats. Avec son épouse Mathurine Robin, il sera l'ancêtre de tous les Guyon devenus Dion. Ils étaient déjà deux mille cent cinquante en 1729 et, à cette date, arrivaient en tête des pionniers pour le nombre de descendants; suivis de près par le couple Zacharie Cloutier/Sainte Dupont (deux mille quatre-vingt dix descendants en 1729) et Noël Langlois/Françoise Grenier (mille trois cent quatre-vingt-huit). Plus tard, Madeleine verra arriver d'autres Percherons. Parmi eux, Louis Guimond. Engagé en 1647 comme domestique par Jean Juchereau, il se marie à Québec en 1653, et s'établit sur la paroisse de Beaupré. Sa notoriété est double et se rapporte à une légende quasi inconnue.

Une vieille tradition rapporte qu'au retour d'une croisade, au XIIe siècle, un chevalier — peut-être un Gruel, ancêtre de Charles de La Peltrie, époux de Madeleine — offrit une relique de sainte Anne à des Percherons. On éleva en l'honneur de cette sainte un petit oratoire, dit «mariette», à la croisée de plusieurs chemins creux et de la route de Paris, près de la demeure des

Gagnon, la Gagnonnière. Depuis, nul n'a manqué, passant par là, de faire une pause et une prière. En s'installant près de Québec, les Percherons dressèrent, comme en leur province natale, une mariette à Sainte-Anne. C'est l'origine du sanctuaire de Sainte-Anne-de-Beaupré. Très vite, plusieurs miracles, dit-on, s'y produisirent, dont une guérison spectaculaire de Louis Guimond. Lequel est le héros d'une autre histoire.

En juin 1661, à huit heures du matin très exactement, des Agniers — nation iroquoise appelée Mohawks par les Anglais — estimant avoir été lésés, tuent ou capturent huit personnes à Beaupré et sept à l'île d'Orléans. Guimond est fait prisonnier. Il impressionne les Amérindiens par son courage. On lui réserve alors le sort des braves. Après avoir battu l'homme, son cœur lui est arraché, encore palpitant. C'est un fait de guerre. N'empêche que Louis Guimond, simple habitant et père de famille, est un héros bien méconnu.

Les Gagnon, cités au passage, étaient cousins des Juchereau. Une branche Gagnon avait dû quitter la Gagnonnière, terre familiale immémoriale, pour s'installer chichement près de Tourouvre, où ils s'enlisaient, alors que leur ancêtre, messire Bernard Gagnon, avait été procureur des seigneurs de Tourouvre. On ne sait si Madeleine les a connus du temps où elle vivait dans le Perche, mais elle pourra parler du Perche de leurs parents aux élèves des ursulines, Renée, Marguerite et Marie-Madeleine Gagnon.

Julien Mercier de Tourouvre, dont on retrouvera la descendance dans l'histoire du Québec, est aussi parent d'élève chez les ursulines. Ses propres parents demeuraient près d'une fontaine réputée, ce qui ne les empêchait pas d'être obligés de vendre leur terre par morceaux. Petit dernier d'une famille nombreuse, Julien arrivera comme manœuvre à Québec en 1647 et deviendra l'ancêtre d'un premier ministre, Honoré Mercier, donateur, en 1891, d'un vitrail commémorant le départ de Julien que l'on peut toujours admirer à l'église Saint-Aubin de Tourouvre.

Madeleine reconnaîtra sans doute d'autres premiers colons originaires du Perche: Robert Drouin, Guillaume Pelletier, Pierre Tremblay. Un oncle de notre héroïne, Jacques du Bouchet, avait été propriétaire du manoir de Belleperche à Randonnai d'où viennent les Tremblay, écuyers — titre au seuil de la noblesse — propriétaires fonciers et artisans du fer.

*

* *

Toutefois, aussi intégrée qu'elle puisse être parmi les nouveaux colons, Madeleine en 1639, ne pense qu'aux Amérindiens. Elle a mobilisé toutes ses ressources pour les rencontrer. Avant même de s'installer dans la petite maison louée à Noël Juchereau, elle désire avant tout leur rendre visite où ils sont, à Sillery.

14

AU PAYS DES AMÉRINDIENS

Dès son arrivée, disent les témoins, Madeleine ne pense qu'à «courir en personne toutes les forêts, les lacs, les montagnes de ce grand pays, pour crier à ces nations infinies qui les habitent qu'il y a un Dieu, un paradis, un enfer, un Jésus-Christ crucifié pour l'amour et le salut de tous les hommes[36]».

Depuis son enfance, elle a entendu parler des peuples d'Amérique. À Alençon, son arrière-grand-père vivait au temps de Jacques Cartier. Entre Paris et Saint-Malo, sa famille a reçu, au fil des découvertes, des informations sur le *Nouveau Monde* et ses habitants. Elle est enfin sur le terrain de ses rêves et a bravé bien des préjugés pour y parvenir.

L'ensemble de la société française qualifie les Amérindiens de sauvages, terme qui désigne ceux qui habitent la forêt et donc

---

36. Les citations et anecdotes de ce chapitre viennent essentiellement de la *Relation* publiée par CAMPEAU (1990).

la plupart des paysans français. Malgré son origine, le mot est souvent péjoratif. Contrairement à l'ensemble des Français, Madeleine n'est pas plus saisie d'horreur à l'endroit des nouveaux peuples qu'elle ne l'était face à la misère alençonnaise. Elle adhère aux récits enthousiastes des missionnaires jésuites ou récollets, et veut rencontrer ces «sauvages» pour soulager leur pauvreté et remédier au fait — désastreux à ses yeux — qu'ils ne croient pas au Dieu des chrétiens.

Ne pas être chrétien est inimaginable, puisque tout le monde l'est au XVIIe siècle sous diverses formes: mondaine, politique, mystique, formaliste ou superstitieuse. Bien sûr, il y a les juifs et les musulmans, mais, au moins, ils sont monothéistes.

Nulle correspondance ne le prouve, mais tout porte à croire que la pensée de Madeleine a évolué avec le temps, au rythme de celle de sa meilleure amie, Marie de l'Incarnation. Personne n'avait mesuré combien les croyances amérindiennes étaient différentes de celles des Français. D'abord, les missionnaires, clercs ou laïcs, ont cru à la possibilité de transformer les autres peuples en copies conformes de leur modèle de civilisation. Une réalité beaucoup plus compliquée s'est imposée en approfondissant la connaissance. Parmi les coutumes indiennes, certaines sont compatibles avec la tradition chrétienne: procéder aux adieux, porter un deuil modéré, fumer du tabac. D'autres semblent intolérables: manger les chiens, abandonner l'agonisant à lui-même, être polygame. Comme les missionnaires, Madeleine croyait qu'en vivant avec les Ouendats ou les Algonquins, on pourrait les faire changer. En vieillissant, les plus avisés s'interrogent. Les influences sont réciproques. Tout ce qu'on peut espérer, c'est essayer de comprendre. Les nations amérindiennes sont différentes des européennes et même les unes des autres.

Elle découvrira peu à peu, que les Algonquiens — Montagnais et Algonquins — se distinguent grandement des Iroquoiens. Les premiers, nomades, chasseurs et pêcheurs, vivent généralement au nord du Saint-Laurent. Les Iroquoiens, semi-sédentaires, comprennent les Iroquois et les Ouendats (Hurons). Ceux-ci, alliés des Français, habiteront, jusqu'en 1650, dans des villages au bord des Grands Lacs et contrôlent le commerce de la fourrure. Le groupe des Iroquois est, pour sa part, composé de cinq nations installées au sud du lac Ontario et du Saint-Laurent. Ennemis des Ouendats et des Algonquins, ils sont, en conséquence, ceux des Français. Du temps de Madeleine, la colonie passera par une succession de périodes de paix et d'hostilité.

Quoi qu'il en soit, la première fois qu'elle rencontre des Amérindiens, le lendemain de son arrivée, donc le 2 août 1639, Madeleine a le cœur battant et la gorge serrée.

Le gouverneur prête à nouveau sa belle chaloupe tapissée pour aller à Saint-Joseph de Sillery. Madeleine et les religieuses y débarquent. Elles trouvent là une «réduction», à l'image de celles que les jésuites ont réalisées au Paraguay, en Amérique du Sud, quelques années plus tôt, et bâtie grâce à l'argent de Noël Brûlart de Sillery, qui a donné son nom à l'endroit.

Ce commandeur de l'Ordre de Malte, compagnie très présente en ces débuts de la Nouvelle-France, haut et pieux personnage français, ancien ministre et ancien ambassadeur du roi, voulait aider les jésuites à rassembler les peuples nomades de la Nouvelle-France en certains «réduits» (d'où le nom). En fait, son intérêt était né à l'occasion d'un contact avec un ami de Marie de l'Incarnation, qui cherchait de l'argent pour doter l'installation des ursulines. Mais les jésuites avaient proposé de consacrer cette donation à l'envoi d'ouvriers pour commencer un bâtiment et défricher quelques terres à l'anse Saint-Joseph afin d'apprendre l'agriculture aux Amérindiens. Le commandeur de Sillery se rangea à leur idée. Ce qui avait retardé le dessein de Marie de l'Incarnation, mais permit à Madeleine de La Peltrie de s'associer à elle, alors en quête d'une bailleuse de fonds.

Ces dames débarquent donc à Saint-Joseph de Sillery le 2 août 1639. Une chapelle et une maison de bois forment enclos pour les jésuites. D'un côté, les quelques cabanes d'écorce d'une famille montagnaise; de l'autre, au delà d'une petite butte, celles d'une famille algonquine. En fait, il n'y a que deux familles, ce qui ne fait pas plus de vingt personnes. Tout le monde attend sur la grève la bonne dizaine de visiteurs venus découvrir le village: trois ursulines, trois augustines, Madeleine et Charlotte, et les soldats qui mènent la chaloupe.

En arrivant, comme c'est la coutume, on va tout de suite à la chapelle. Les pères ont prévu des baptêmes. On demande à Madeleine d'être marraine d'une fillette de dix ans. C'est son premier baptême d'un enfant amérindien. Il inaugure une longue série. Elle aura presque cent filleul(e)s dans la vallée du Saint-Laurent, parmi lesquels cinquante et un figurent encore aujourd'hui sur les fichiers du Programme de recherche en démographie historique de l'Université de Montréal. Les autres correspondent à une estimation.

Le prénom choisi pour la petite est Marie. C'est la fille adoptive du chef algonquin, Noël Negamabat. Elle reviendra à Québec avec Madeleine et sera la première pensionnaire des ursulines.

Cette cérémonie est quelque chose de si nouveau que Madeleine et les religieuses sont émues aux larmes. Elles pensent rêver ce qu'elles ont si longtemps désiré. À leur entrée dans l'église, les Amérindiens sont rangés sur les bancs. Puis le père Le Jeune les fait prier et chanter en algonquin. Leurs voix sont si belles et si justes qu'elles voudraient que ce moment ne cesse jamais.

Ensuite, on visite les cabanes montagnaises. Chaque fois que Madeleine voit une petite fille, elle s'empresse de l'embrasser, en la serrant très fort dans ses bras et en lui manifestant tout l'amour possible. Les Amérindiens sont stupéfaits. Ce n'est pas du tout leur habitude, mais ils laissent faire avec patience. Des religieuses l'imitent. Pourtant les enfants, tout enduits de graisse contre les insectes, sont parfois très sales.

Au cinéma, les films «Mission» ou «Robe noire» nous donnent une idée de ce que pouvaient être les réductions. Aujourd'hui, près de Québec, la vieille maison de Sillery est transformée en musée. Des botanistes reconstituent chaque année le potager des pères jésuites. C'est aussi un site de fouilles. Le lieu est fréquenté depuis plus de deux mille cinq cents ans. Les Amérindiens y venaient régulièrement à la saison de l'anguille. L'agriculture n'y fut jamais ce qu'auraient souhaité les jésuites. Mais c'était un lieu de pêche et de chasse extraordinaire. Une famille montagnaise pouvait prendre jusqu'à trois mille anguilles en une saison. Sans compter les esturgeons. Quant au gibier, il foisonnait à Sainte-Foy.

Le lieu plaît infiniment à Madeleine, qui se promet d'y retourner. Les sœurs hospitalières sont séduites, elles aussi: c'est là que vivent les Amérindiens, pas à Québec. Mais il faut y revenir et travailler à s'installer dans la maison louée à Noël Juchereau, une opération peu reluisante. Cette misérable chaumine a pu être un excellent campement d'été pour un célibataire responsable du magasin voisin des Cent-Associés, elle est loin de ressembler à un monastère. Il n'y a que deux pièces pour cinq personnes. Il faut aussi loger six Amérindiennes, et prévoir une classe pour les sept à huit jeunes Françaises qui y viennent déjà pendant la journée. De plus, isolée sur le port, elle prend l'air et la pluie de toutes parts. Il faudrait l'habileté extraordinaire d'un menuisier «patenteux» pour la transformer en couvent et en pensionnat. Marie de l'Incarnation s'y mettra avec talent et imagination car les ressources sont rares. Les voyageuses n'auraient jamais supposé qu'il y avait si peu de choses dans ce pays.

À voir l'image de Marie, hiératique, encadrée sur les murs ou les livres, en position supposée édifiante, personne ne pourrait imaginer la souplesse et l'adresse de la jeune femme. En 1639, elle étonne tout le monde en exécutant, vite et bien, une multitude de travaux. En un rien de temps, sous le conseil discret de la supérieure, on se partage les tâches. Madeleine et Charlotte balaient la maison, lavent la vaisselle et s'occupent des Amérindiennes qu'il faut dégraisser, habiller, peigner et occuper — la plus jeune n'a que deux ans! Sœur Marie-Joseph donne les cours, Sœur Cécile fait la cuisine et apprend vite à faire la sagamité amérindienne, une bouillie de maïs mélangée avec le produit de la chasse ou de la pêche du jour, quand on leur en apporte.

Comme des Amérindiens viennent souvent voir leurs filles ou les maîtresses, Cécile prend l'habitude de laisser toute la journée la chaudière (marmite) de sagamité prête sur le feu. Elle y ajoute des pruneaux de Tours et du gras. Les visiteurs la trouvent délicieuse. Toutes sont heureuses de leur arrivée.

Pourtant, ils ont du mal à se comprendre; à cause de la langue et surtout des habitudes de vie si différentes. C'est l'été, les sœurs trouvent curieux, voire scandaleux, qu'ils soient pratiquement nus. Eux, s'étonnent que les Françaises soient habillées. Surtout les sœurs. «Pourquoi donc, questionne l'un d'entre eux, les filles vierges ont-elles la tête enveloppée?»

Les petites filles passionnent Madeleine, même si travailler avec elles s'avère difficile. La jeune veuve se sent enfin à sa place. Contrairement aux sœurs, elle fait la révérence chaque fois que se présente quelqu'un d'important. Les petites l'imitent, en tenant leur robe de chaque côté.

Quand une nouvelle pensionnaire arrive, elle est en général presque nue. Après l'avoir lavée et dégraissée, Madeleine lui enfile une petite simarre (robe longue) rouge en camelot (étoffe de laine mêlée de poils de chèvre), qu'elle a trouvé le temps de tailler et de coudre. Sa provision d'étoffe rouge épuisée, elle finira par transformer en simarres son propre vestiaire; parfois dans des circonstances inattendues.

Un jour, Marie Negamabat s'exclame: «Je suis triste. Je n'entends plus les oiseaux de Sillery, je ne puis plus courir sur nos rochers, ni jouer avec nos gentils écureuils; je vais donc mourir...» À midi, pas de Marie à table. On attend. On cherche. Peine perdue. La petite a sauté le mur pour courir le bois. Deux heures plus tard, on la retrouve à Sillery, chaussures neuves en charpie, simarre rouge en pièces. Sa mère, en larmes, lui dit: «Enfant, tu seras cause de ma mort!» Son père ajoute: «Ma fille, est-ce moi qui t'ai permis de quitter les filles vierges? Va, ingrate, retourne à la maison de Jésus, tu ne resteras pas ici!» Marie va d'abord se cacher à l'église, puis part s'amuser au bord du fleuve avec les autres petites filles. De sa fenêtre, le père LeJeune l'y aperçoit. Il va la retrouver et, faisant mine d'être très fâché: «D'où viens-tu petite coureuse? Tu es une enfant perdue. Tiens, je vais te jeter à la rivière!» Il la prend par le bras pour lui faire peur. «Père, laisse-moi, crie la petite, tu verras, je serai toujours obéissante!» Le jésuite la ramène chez son père où la nuit et la soirée se déroulent dans le plus grand silence. À la pointe du jour, sa mère donne à Marie de quoi manger; son père, toujours en silence la conduit en canot jusqu'à la porte du pensionnat de la basse ville où Madeleine serre dans ses bras la petite Marie qui promet en pleurant qu'elle sera «obéissante pour toujours». Madeleine la lave, la coiffe, lui donne une nouvelle simarre, d'autres souliers, des mitaines rouges et la ramène à sa classe. «À partir de ce jour, écrivent les annales des ursulines, elle se distingua par son assiduité au travail et sa bonne conduite.» Elle épousera en 1647 un Amérindien et recevra des meubles pour son ménage, et même une dot offerte par les ursulines de Paris.

Toutes ces péripéties n'empêchent pas Madeleine de jouir enfin de tous les plaisirs qu'une mère pourrait souhaiter de ses enfants. Les petites lui obéissent et lui portent un amour tendre et filial. Elles la suivent, comme une vraie mère, dès qu'elle se déplace. À l'occasion d'une retraite, Madeleine devient institutrice et remplace les sœurs. Elle ne peut alors exprimer la joie ressentie en faisant réciter les leçons. C'est bien plus facile qu'avec les externes françaises.

Un matin, une indisposition l'oblige à garder le lit. L'après-midi, elle se lève. Les petites se jettent à son cou, la caressent en s'écriant «Ninque, ninque», ce qui veut dire «ma mère, ma mère». Elle n'arrive plus à s'en défaire. «Je ne pense pas, confie-t-elle au père Vimont, que j'aurais pu aimer davantage mes propres enfants.» Une autre fois, elle part pour la journée, laissant deux des enfants à la maison. Elles ne font que se lamenter dans un coin pendant son absence, s'écriant «daiar Ninque daiar», «venez, ma mère, venez». Dès qu'elles l'aperçoivent à travers la palissade de pieux qui ceinture la maison, elles essaient de l'enjamber pour la rejoindre.

Madeleine leur enseigne à coudre et à broder à l'aiguille. Elles lui apprennent à danser comme le font les Amérindiens. Marie de Saint-Joseph joue de la viole. Tout le monde s'amuse très fort.

Curieusement, nul n'a représenté dans les livres d'histoire cette noble dame de France dansant avec les Amérindiennes, au son de la viole d'une jeune religieuse et de percussions improvisées.

Madeleine est très impressionnée par l'attitude des jeunes Amérindiennes — «toute angélique » — à la suite des instructions du père Claude Pijart qui les préparera à la communion pour Pâques 1640. Elle en gardera une admiration indélébile pour ce père.

Ces petites filles semblent adhérer à la confiance chrétienne d'une manière étonnante. Un jour, raconte la *Relation*, elles font une cabane tapissée de branches de cèdre et demandent la permission d'y passer la nuit. Les sœurs répondent qu'elles auront peur. Pas du tout, répondent-elles. Nous n'avons plus peur des âmes des trépassés: les bons vont au ciel, les méchants, en enfer. Ils ne peuvent pas en sortir pour venir nous trouver. Et nous prierons Dieu de nous protéger. Ce qui fait conclure aux sœurs: «il s'en faut beaucoup que nos petites Françaises soient si présentes à elles».

Madeleine continue à rencontrer aussi les Français. À peine plus d'une semaine après son arrivée, elle est marraine au baptême de Madeleine Couillard, future élève des ursulines commes ses trois sœurs, septième des dix enfants de Guillaume Couillard et Guillemette Hébert, fille de Louis Hébert, le premier colon. Tous les principaux habitants sont là. Le parrain est Pierre Legardeur de Repentigny. C'est une belle fête. Le jardin des parents est évidemment le plus beau en Nouvelle-France. Une semaine plus tard, le 15 août 1639, rassemblement extraordinaire: c'est la première procession du vœu de Louis XIII, en reconnaissance de la venue au monde du futur Louis XIV.

Les arrivées des grands personnages, les interminables défilés et les processions, qu'on soit spectateur ou participant, étaient, en ce temps-là, l'occasion de grandes réjouissances. C'est que le spectacle est imposant. Tous les Amérindiens de Sillery sont présents; d'autres aussi. Certains portent leurs plus beaux vêtements: des robes peintes en peau d'orignal ou en cuir de cerf. Ils sont conduits par le commis général des vivres du magasin, François Derré de Gand, un personnage très important dans la colonie. Membre et représentant des Cent-Associés, il contrôle toutes les marchandises en circulation. Son magasin est sur le port, à côté de la petite maison des ursulines. Il marche en tête des Amérindiens, dont les six premiers sont revêtus d'habits royaux reçus de France. Après les hommes, les femmes, conduites par Madeleine, comme si elle était, en importance, l'équivalent féminin du représentant des Cent-Associés. Elle avance en tenant à ses côtés trois ou quatre pensionnaires, vêtues de leurs petites simarres rouges dont elles sont si fières. Viennent ensuite toutes les filles et les femmes amérindiennes, dans un ordre impeccable.

Les sœurs sont cloîtrées, donc absentes de la procession. Seule une clôture de pieux les sépare du monde, mais elles ne l'ont pas franchie à partir du moment où elle a été dressée, soit quatre jours après l'arrivée. On peut trouver drôle que les sœurs soient enfermées dans une toute petite maison sur le port, au milieu de l'agitation des marins et des marchands, du commerce des fourrures. En fait, cette clôture protège leur intimité. Madeleine ou Charlotte, elles, sortent pour faire les courses, aller à Sillery ou aux cérémonies religieuses à l'église de Québec ou chez les augustines.

Madeleine va donc au magasin, où elle a affaire à un commis. Lors du baptême d'un bébé de la famille Gadois, le 28 septembre, elle fait vraiment la connaissance du commis général, François Derré de Gand. Il est parrain. Elle est marraine. Ce Dieppois est l'un des rares membres des Cent-Associés venu lui-même en Nouvelle-France. À Québec depuis 1633, arrivé avec Champlain, il l'a même remplacé, à l'occasion. Son magasin est le pivot de l'activité commerciale du pays. Derré de Gand partage avec Madeleine une grande passion: l'inclination pour les Amérindiens.

Il avait financé l'adoption d'une enfant algonquine par une famille. Son attitude a beaucoup facilité l'installation de la réduction des pères à Sillery. En effet, l'anse Saint-Joseph, où ils comptaient s'installer, lui avait été concédée par les Cent-

Associés qui, semble-t-il, ignoraient le projet jésuite en ce lieu. Cela aurait pu provoquer un grave conflit. Généreusement, François Derré de Gand a cédé sa concession aux jésuites et même fourni des ouvriers à ses frais, pour deux ans.

Il y aura par la suite d'autres concessions à Sillery. L'endroit est très près de Québec, beaucoup de Français voudront s'y installer. En 1663, au moins soixante-sept terres appartiendront à des Français; aucun Amérindien n'en possède à titre individuel. Mais aucun non plus n'a jamais eu envie d'en avoir. Montagnais et Algonquins ont toujours préféré la pêche et la chasse à la culture.

Quant aux parents du bébé Gadois, ce sont encore des Percherons: Pierre Gadois et Louise Mauger, de Saint-Martin d'Igé, au sud de Bellême, donc pas vraiment très loin de Mortagne. Il s'agit de leur cinquième enfant, qui ne vivra pas.

*   *

Madeleine va à Sillery le plus souvent possible. Les Amérindiens la reçoivent dans leurs cabanes. Avec ses vêtements longs qui la couvrent en entier, elle tranche au milieu d'eux, presque nus, ou couverts d'une peau d'orignal grande comme celle d'un bœuf, carrée comme une couverture, qu'ils jettent sur leurs épaules et attachent avec de petites courroies. Leurs bras nus sortent des deux côtés. Dessous, ils portent un brayer (slip de cuir); rien sur la tête, rien aux pieds.

L'hiver, ils se font des robes avec les couvertures qui leur sont fournies au magasin des Cent-Associés et portent par-dessus des capes de castor en guise de manteau. Ils se chaussent de mocassins, très pratiques pour enfiler des raquettes et aiment beaucoup se couvrir la tête avec les tuques rouges des Français qu'ils se procurent également au magasin, ainsi que les capots et les tapabors (toque dont on peut rabattre les bords pour se garantir les oreilles) des soldats.

Les femmes sont habillées comme les hommes, mais elles portent des ceintures et leur robe est plus courte; beaucoup plus courte que celles de Madeleine qui, pour rien au monde, ne montrerait ses jambes ni même ses chevilles.

Elle ne peut pas parler leur langue et s'exprime des yeux et des mains. Ils semblent l'aimer et l'honorer «d'une façon que je ne peux dire», confie-t-elle. Elle admire leurs qualités, spécialement leur sang-froid. Les Amérindiens sont ennemis de la colère. Il est à parier que son naturel émotif se fortifie en les fréquentant. Elle aimerait qu'ils demeurent toujours proches. Aussi est-elle persuadée qu'ils seraient plus heureux s'ils étaient sédentaires. Elle aurait aimé exercer le métier de maçon ou de charpentier pour leur dresser une petite demeure, ou bien de laboureur, pour les aider à cultiver la terre.

Survient alors, à l'automne de 1639, une épidémie de petite vérole. Plusieurs des chères enfants de Madeleine meurent. L'euphorie de l'arrivée n'aura pas duré longtemps. Cette épidémie, qui venait de Nouvelle-Angleterre, fit des ravages parmi les Amérindiens. Les religieuses de l'Hôtel-Dieu doivent transformer en pansements leur réserve personnelle de linge. Les ursulines font de même. On pense que les parents en voudront aux sœurs. Pas du tout. Ils leur confient d'autres filles.

Le comportement des «vierges» les ravissent, malgré leur «tête enveloppée». Ils sont sidérés quand les jésuites expliquent que ces jeunes filles «tendres et délicates» — un mot que les pères affectionnent, parfaitement adapté à sœur Marie-Joseph — ont quitté leurs parents et amis, leur patrie, si douce et agréable, «pour venir dans un pays pauvre et fâcheux». Ils les appellent «filles de capitaines» et demandent régulièrement des nouvelles de leurs père et mère.

AU PAYS DES AMÉRINDIENS

Passe l'automne, tombe l'hiver. À Noël 1639, grande expédition pour Madeleine: messe de minuit à Sillery. On l'avertit que «les grandes neiges et les froids tous glacés» éteindront son ardeur. C'est tout le contraire. Les Amérindiennes lui ont montré à marcher en raquettes, elle part courageusement avec deux ou trois d'entre elles. Ce qui nécessite quatre à six heures de marche.

À Sillery, la cérémonie commence par le baptême d'une petite fille dont elle est marraine. Encore une fois, des larmes de joie coulent pendant la cérémonie. Pendant ce temps, au «séminaire» des ursulines, on a dressé une petite crèche. Les enfants ne cessent d'aller contempler le petit Jésus, un de ces enfants Jésus en cire comme on en fait toujours à Alençon. Elles lui apportent des bouts d'écorce allumés, faute de chandelle de cire. Elles confectionnent des bouquets et des chapeaux de fleurs séchées qu'elles présentent à la Sainte Vierge, en lui disant tout plein de gentillesses.

Marie de Saint-Joseph s'occupe très bien des petites pensionnaires en l'absence de Madeleine, qui a engagé un jeune homme pour faire les courses des religieuses et se demande si elle n'est pas plus utile à la réduction. Bien sûr, on commence à baptiser des Amérindiens à Québec. Mais, tout comme les religieuses augustines, la bailleuse de fonds des ursulines cherche le moyen de résider près des familles montagnaises et algonquines.

15

HIVER CHEZ UN FLIBUSTIER

Arrive enfin un premier printemps. Madeleine découvre le charme des chauds rayons du soleil sur la neige, celui des fleurs de pommiers dans le verger des Couillard, et les bourbiers des chemins qui dégèlent. Suit l'ardent été et, début juillet, l'événement attendu entre tous: l'arrivée de la flotte. En débarquent deux ursulines de Paris, qui, elles aussi, après bien des péripéties, ont obtenu la permission et les moyens de venir rejoindre les pionnières à Québec.

Madeleine va les accueillir sur le port, accompagnée de ses petites séminaristes amérindiennes, et les conduit, avec toutes les amitiés possibles, à la chapelle des ursulines, la plus proche du quai. Puis elles vont saluer monsieur le gouverneur en son fort. Le lendemain, elles embarquent pour la réserve amérindienne de Sillery où, comme pour Madeleine et les augustines, la joie dérobe — c'est le mot utilisé par les jésuites — leur cœur et leurs yeux.

MADELEINE DE LA PELTRIE

Marguerite de Flécelles de Saint-Athanase et Anne Le Bugle de Sainte-Claire s'installent, avec leurs meubles et leurs bagages, dans la petite maison derrière la clôture de pieux. Leur monastère, qui leur a déjà payé le voyage, les a meublées et même fournies amplement de «hardes». De plus, il s'engage à leur donner annuellement une pension viagère de cinquante écus. C'est une bénédiction pour le couvent de Québec. Les revenus de Madeleine s'avérant, de beaucoup, insuffisants dès la première année. D'ores et déjà, avec l'épidémie de variole qui a obligé les religieuses à transformer leurs sous-vêtements en pansements, les «hardes» parisiennes rhabillent, on s'en doute, les Tourangelles. Dès ce moment, il est clair que, sur le plan financier, les religieuses de Paris ne doivent pratiquement rien à Madeleine de La Peltrie.

Dès le début de l'automne 1640, un différend se fait jour. Madeleine est persuadée qu'il faut suivre l'exemple des sœurs hospitalières et installer le futur couvent des ursulines à Sillery pour se rapprocher de la clientèle amérindienne. Le père Vimont, supérieur jésuite de la mission, est du même avis. Les deux religieuses parisiennes alignent leur jugement sur celui du père Vimont. Mais Marie de l'Incarnation ne veut rien changer au projet primitif et affirme qu'on doit construire sur le cap Diamant, près du fort du gouverneur. Monsieur de Montmagny, quant à lui, partage le point de vue de la supérieure des ursulines. Madeleine est très contrariée. Au même moment, lui arrive une invitation.

*
* *

HIVER CHEZ UN FLIBUSTIER

Sur le chemin de Sillery, à l'anse Saint-Michel, près de l'endroit maintenant nommé Pointe à Puiseaux, juste en aval de l'anse Saint-Joseph, demeure, dans une des plus belles maisons du pays, un célibataire de soixante-quinze ans. Après avoir fait fortune aux Antilles, cet ami et admirateur de Champlain avait décidé de demander une seigneurie aux Cent-Associés. On lui accorda celle de Sainte-Foy. C'est ainsi que Pierre de Puiseaux de Montrenault, un des trois immigrants les plus âgés en Nouvelle-France, est arrivé à Québec avec une suite de dix personnes par la flotte de 1637. Il fait défricher, aménage une ferme, bâtit des communs et construit une habitation, vite surnommée le bijou du pays. Ce n'est pas une bien grande demeure; seulement trois chambres; pour la nouvelle colonie, c'est presque un château.

Or, au printemps de 1640, afin d'être plus près de la réduction, les religieuses augustines ont décidé d'interrompre les travaux entamés dès 1637 pour la construction de leur hôpital à Québec. Elles ouvrent un chantier à côté du campement algonquin. La première pierre du nouvel hôpital est posée le 9 juillet 1640, à peu près au moment de l'arrivée des religieuses parisiennes. En attendant que l'édifice soit terminé, monsieur de Puiseaux, qui s'ennuie, leur propose de venir loger dans sa maison. Madeleine y est invitée de temps à autre. Les augustines emménagent au début de l'hiver. Pierre de Puiseaux lui offre alors de venir s'installer chez lui avec Charlotte.

C'est l'occasion rêvée. Elle offre en effet bien des avantages: se rapprocher des Amérindiens et de leur milieu de vie; laisser de l'espace aux deux nouvelles ursulines; respecter l'intimité de la communauté religieuse; rendre moins visible le désaccord avec Marie sur l'emplacement du monastère à construire. Sans compter qu'en cet espace réduit, un autre conflit a pu naître entre les sœurs parisiennes, conscientes que leur monastère d'origine et leurs nobles familles vont concourir à la prospérité du nouveau monastère, et Madeleine, fondatrice aux trop modestes revenus. Toujours est-il qu'elle quitte les ursulines, et ne va les voir que rarement.

Marie de l'Incarnation pense qu'elle a une aversion pour la clôture, ce qui n'est pas complètement faux, et qu'il est raisonnable de la laisser en liberté, puisqu'elle n'est pas religieuse. Aimable, elle ne formule aucun reproche. D'ailleurs, même si les Parisiennes apportent de nouvelles ressources et de nouveaux meubles, Madeleine continue à fournir autant d'argent pour le fonctionnement du pensionnat et à laisser son mobilier à la disposition des ursulines. Les sœurs de Paris font-elle valoir un peu trop l'insuffisance de la contribution de Madeleine? La superbe parisienne, certainement même inconsciente dans ce cas, fait souvent des ravages.

Le fait est que Madeleine n'est plus du tout pressée de participer aux frais de construction du nouveau monastère sur la (future) haute ville de Québec. D'ailleurs, il n'y a pas d'ouvriers. Jean de Bernières n'en a envoyé aucun, expliquant qu'il n'a reçu aucun argent, les affaires de la famille de Chauvigny étant fort compliquées et lentes à se régler. De toutes façons, Madeleine fuit une situation qui demeurera tendue chez les ursulines tout l'hiver 1640-1641.

Un malentendu s'est établi entre religieuses de Paris et de Tours, à cause du père Vimont qui sous-estime Marie de l'Incarnation et traite avec les sœurs de Paris comme si la supérieure tourangelle n'existait pas. Les problèmes d'organisation interne sur la règle à adopter (Paris ou Tours?) pourrissent. Quant à la construction du monastère, Marie de l'Incarnation, minoritaire, finit par déclarer qu'elle se rangera à l'avis de la majorité quand le moment sera venu. Ce qui ne l'empêche pas d'en dessiner discrètement les plans, en fonction de ce qu'elle a vu édifier à

Tours. Tout le monde s'apercevra avec stupéfaction qu'elle a aussi un talent d'architecte.

Heureuse diversion: avant les grands froids, au mois d'octobre 1640, le père de Quen emmène Madeleine de Sillery à Trois-Rivières. C'est son premier voyage en amont du fleuve. Elle est ravie d'y découvrir le poste de traite fondé quelques années plus tôt, en 1634, par un certain Laviolette, reparti depuis et dont on ne sait plus rien[37].

Trois-Rivières, à ce moment-là, est un rendez-vous de circuits de traite, un centre stratégique et commercial important. Son intérêt vient de ce qu'on peut y accéder par diverses routes; soit en effectuant la traditionnelle remontée par le Saint-Laurent et l'Outaouais, soit par la rivière du Lièvre et la Saint-Maurice, en empruntant un itinéraire qui permet aux Ouendats (Hurons) et aux Algonquins d'éviter les Iroquois.

Ce gros marché comporte un magasin de la Compagnie des Cent-Associés et une mission jésuite. La colonisation y commence. Déjà deux ou trois familles de Normands y sont installées, notamment les Legardeur et les Leneuf. Comme il n'y a pas de pierres, les jésuites ont eu l'idée d'installer une briqueterie. Toutes les maisons y sont donc rouges.

On profite de l'arrivée de l'excellente marraine pour baptiser des enfants amérindiens. Madeleine y revoit une connaissance qui lui est chère: le père Poncet, celui qui l'avait mise en contact avec Marie de l'Incarnation.

Ce Parisien en a connu des aventures! Après avoir fait la traversée avec Madeleine et les sœurs, il était parti aux Ouendats avec un collègue, le père Chaumonot, futur aumônier de l'armée.

---

37. Curieusement, les biographes précédents de Madeleine ne se sont guère intéressés à ses déplacements autonomes. Nous les avons repérés dans les *Relations* et dans le *Registre de la population du Québec ancien* où sont consignés tous les actes d'état civil et, notamment, les noms des parrains et marraines présents.

Dès leur débarquement à Québec en 1639, on les envoie en canot d'écorce au bord des Grands Lacs. Ils y passent l'hiver. Mais Joseph-Antoine Poncet, indisposé, revient. Or voici que son canot, conduit par des Ouendats, se fait capturer par les Iroquois. Marie de l'Incarnation, avertie, le voyait déjà martyr, mais il réussit à s'échapper. On l'affecte alors à la mission des Trois-Rivières. Ce ne sera pas la première captivité de Joseph-Antoine. Il sera repris par des Iroquois, quelques années plus tard, et ramené à Montréal, habillé en Hollandais!

Après l'escapade aux Trois-Rivières, Madeleine passe l'hiver 1640-1641 chez Pierre de Puiseaux, allant le plus souvent possible s'occuper des petites amérindiennes de la mission de Sillery. Marraine de plusieurs enfants, elle porte dans ses bras les nouveau-né(e)s: Joachim Ouebabeiu, Élisabeth Ourouaba-noukoue, Gabrielle Outchachatkoukoue, Augustine Chichik, Marguerite Chichigamikoue, et bien d'autres petits Montagnais ou Algonquins. Chaque fois qu'elle va les voir avec Charlotte, les Amérindiens viennent les chercher sur la grève, et c'est à qui leur fera davantage la fête. Des fois, ils les honorent d'une petite salve d'arquebusade à leur débarquement. En certaines occasions, ils les émeuvent aux larmes. Madeleine voulait un jour faire un cadeau à Noël Negamabat, le chef des Algonquins, mais il lui déclare: «Donne-le à mon frère qui part à Trois-Rivières, il en a plus besoin que moi».

Pendant les longues soirées d'hiver chez Pierre de Puiseaux, on se retrouve au coin du feu avec ses domestiques, Marie Joly et Antoine Damien. Raconte-t-il des histoires de corsaires et de pirates à l'affût des derniers galions espagnols rapportant l'or du Pérou? Narre-t-il comment, flibustier aux Antilles, il a fait fortune? Évoque-t-il le commerce du bois d'ébène, origine de la richesse de Bordeaux et de Nantes? Explique-t-il le lucratif commerce triangulaire, fondé sur l'esclavage: des marchands partent d'Europe avec de la pacotille, l'échangent en Afrique contre des prisonniers capturés par certaines ethnies, négocient ces esclaves aux Antilles contre du sucre de canne revendu au retour en France ou, plus tard, en Nouvelle-France?

La vie, ici, respire au rythme de l'eau. Au printemps, fleuve et rivières dégèlent, c'est la débâcle. D'énormes blocs de glaces flottent au gré du courant; impressionnant spectacle guetté par tous, mais dangereux. Les Amérindiens, habiles navigateurs, prennent parfois de grands risques à ce moment-là.

Un printemps, Noël Negamabat traverse le fleuve avec ses gens pour aller chasser sur l'autre rive. À la rencontre de deux courants, ils sont tout à coup environnés d'un grand banc de glaces qui se fracassent avec une telle impétuosité qu'ils sont tous sûrs de passer de vie à trépas. Ils grimpent alors sur une toute petite banquise, à peine assez grande pour contenir hommes et canots. Au moindre heurt, c'est la mort. Se sentant perdu, Noël improvise une prière:

Toi qui as tout fait, tu es tout-puissant, sauve-nous si tu veux nous sauver. Si tu veux que nous mourions, nous le voulons bien: puisque nous croyons en toi, nous irons au ciel et nous te verrons.

Puis il dit à ses gens:

Ne craignons point. Mourons courageusement. Nous sommes baptisés. Courage: nous irons au ciel!

Sa prière exprimée, Noël ne craint plus la mort. C'est alors qu'on aperçoit un espace entre les glaces. On met les canots à l'eau. On y saute plus vite que le vent, et advienne que pourra. Tous se retrouvent à l'endroit désiré, sans trop savoir comment. Spontanément, ils s'agenouillent au bord du Fleuve et remercient «Celui qui a tout fait» de ce grand «bénéfice».

Après la débâcle, les nouvelles aussi voguent sur les flots. D'abord, celles de Trois-Rivières et des pays d'en-haut. Notons qu'au début du XVIIe siècle, les vastes «pays d'en-haut» sont presque inconnus des Blancs. Ils englobent à la fois les Laurentides et les régions au nord des Grands Lacs, d'où viennent les peaux.

On apprend ainsi que deux personnes sont captives chez les Agniers depuis février. On commence à craindre beaucoup pour la sécurité des habitations non protégées de Trois-Rivières et de Québec. Et, lorsqu'au printemps 1641, Madeleine va rendre visite aux ursulines, la situation est renversée. Tout le monde craint la menace iroquoise. Marie de l'Incarnation ayant dressé les plans du monastère, on est unanime à commencer les travaux à l'endroit prévu, près du fort. Les dernières nouvelles ont retourné les esprits, y compris ceux des religieuses de Paris, du père Vimont et de Madeleine. Tous sont forcés d'admettre que la supérieure des ursulines et le gouverneur avaient vu juste. Madeleine est invitée à poser la première pierre du couvent des ursulines de Québec le 19 avril 1641 sur le terrain concédé par les Cent-Associés pour une institution enseignante, dès 1637, à la suite des démarches d'un ami de Marie de l'Incarnation.

Madame de La Peltrie devient ainsi la fondatrice du plus beau bâtiment de la colonie. On a prévu trois étages, quatre cheminées, une surface de quatre-vingt douze pieds sur vingt-huit (trente mètres sur neuf), un beau puits dans la cuisine, un grand dortoir pour les pensionnaires, des cellules individuelles pour les sœurs, une chapelle intérieure. C'est deux fois plus grand que ce que les sœurs augustines ont construit à Sillery.

Malheureusement, d'autres nouvelles, plus désolantes, parviennent. Le 5 juin, les Agniers ont ramené vivants les deux prisonniers pour négocier des arquebuses et traiter d'alliance et de paix. Le gouverneur, monsieur de Montmagny, s'est déplacé aux Trois-Rivières pour la circonstance. Hélas, les pourparlers où sont intervenus des Algonquins, ennemis mortels des Agniers, ont été l'occasion de coups de feu, et les Agniers sont partis en criant de rage et en proférant des menaces. On craint encore plus pour les habitations et les colons.

Sur ces entrefaites, la flotte de Dieppe arrive avec des monceaux de lettres pour tous. L'argent de Madeleine commence à rentrer. Jean de Bernières le confirme, tout en recommandant la prudence. Il envoie des ouvriers. Les lettres qu'il a pu adresser à Madeleine n'ont pas été gardées. Mais on a conservé suffisamment de ses écrits pour pouvoir en imaginer le style. Ne pensant qu'au salut de son «épouse», il formule des conseils de modestie, l'entretient des bienfaits de l'oraison, de la fragilité et de la «mutabilité» (c'est dans son vocabulaire) des choses de ce monde. Il lui explique qu'en s'agitant trop, en voulant faire preuve de générosité, elle ne pense qu'à se faire valoir.

Après son hiver avec le flibustier Pierre de Puiseaux, Madeleine se sent, de fait, un peu fébrile. Au point qu'elle ne cherche pas du tout à comprendre ce que son brave «mari» veut expliquer avec des mots, il faut le reconnaître, assez alambiqués. Les gens qui arrivent avec la flotte de 1641 l'intéressent beaucoup plus. Il s'y trouve un jeune couple noble, un groupe de Percherons et une certaine Jeanne Mance.

Parlons d'abord du petit couple, dont la femme est enceinte. Lui, c'est François Chavigny de Berchereau. Il a reçu une seigneurie au cap de Lauzon (pointe Deschambault). En attendant de pouvoir la faire défricher — ce qui s'avérera impossible, et il finira par s'établir à l'île d'Orléans — il s'installe à Québec, où son épouse Éléonore de Grandmaison accouchera. Madeleine est marraine du bébé, une petite fille que l'on prénomme Marie-Madeleine. Elle seront quasiment homonymes: Marie-Madeleine de Chavigny et Marie-Madeleine de Chauvigny. Berchereau deviendra collaborateur du gouverneur, monsieur de Montmagny, qu'il remplacera pendant ses absences. Natif de Champagne, il sera aussi un ami et un conseiller de trois autres Champenois: Jeanne Mance, Maisonneuve et, plus tard, une certaine Marguerite Bourgeoys, qui viendra «gouverner» Maisonneuve à Montréal.

Le couple de Chavigny-Grandmaison habitera à Sillery de 1641 à 1645. Éléonore de Grandmaison aura une histoire mouvementée. Veuve, après avoir été mariée à quinze ans, elle en est à son deuxième mariage. Chavigny, malade, meurt à son tour en 1651. Alors mère de cinq enfants, elle se remarie avec Jacques Gourdeau de Beaulieu. Le père Chaumonot bénit l'union en août 1652 à l'île d'Orléans. Malheureusement, ce Gourdeau qui n'avait déjà pas très bonne réputation ne s'assagit guère avec le mariage. Il finit assassiné par son valet en mai 1663 et la demeure est brûlée. Éléonore, après avoir sauvé les meubles et ses neuf enfants (elle a eu quatre enfants Gourdeau), se remarie avec Jacques Cailhaut de la Tesserie. Elle aura été mariée quatre fois et se sera distinguée comme femme de tête, active dans l'administration de ses terres.

Quant à Jeanne Mance, elle va intéresser Madeleine à un nouveau projet.

16

AVEC JEANNE MANCE,
MONTRÉAL OU QUÉBEC?

Fin juin, à Tadoussac, un vaisseau de Dieppe avait montré ses voiles, s'ancrait, puis repartait pour Québec. Quelques jours plus tard y avaient accosté — outre les gens attendus — dix hommes, deux femmes et cinq enfants. Ils étaient parfaitement imprévus, surtout les femmes et les enfants, mais deux artisans, des Percherons, n'avaient tout simplement pas voulu partir sans leur famille. Justement, Madeleine en avait sûrement reconnu un, Nicolas Godé, maître menuisier, accompagné de Françoise Gadois, son épouse, et de leurs quatre enfants (François, Nicolas, Mathurine et Françoise[38]). Françoise, la mère, est sœur de Pierre Gadois, recruté quelques années plus tôt par Robert Giffard. L'autre couple était constitué d'Antoine Primot, de

---

38. Les précisions de ce chapitre proviennent essentiellement des recherches de CAMPEAU (1990), DAVELUY (1934) et OURY (1991).

167

Martine Messier et de leur fille adoptive de quatre ans, Catherine Thierry. Arrivaient ainsi, en pièces détachées, les représentants d'une nouvelle «Société de Montréal» née de la folle — ou vertueuse — passion, que Madeleine partageait, de convertir les Amérindiens.

Les nouveaux colons venaient fonder une mission à Montréal. Leur chef, un certain Paul de Maisonneuve, devait arriver de La Rochelle. Ce projet avait paru complètement fou après les menaces de raids iroquois sur Trois-Rivières. Mais un courrier des Cent-Associés confirmait les propos des voyageurs. Le gouverneur leur avait désigné un terrain sur le port et chargeait les hommes d'y construire immédiatement un abri pour eux et leurs familles. Cela pouvait toujours être utile ensuite comme entrepôt.

Les jours passent. La flotte rochelaise se fait attendre. Le premier vaisseau n'arrive que le 8 août. Débarquent, cette fois-ci, outre des jésuites, une personne très fatiguée par le voyage, mais qui demande vite à être présentée à madame de La Peltrie: Jeanne Mance. Elle est accompagnée de douze engagés qu'elle met immédiatement au travail avec Godé, Primot et les autres.

Elle aurait sans doute logé chez les ursulines, ses anciennes maîtresses, s'il y avait eu de la place. Mais les cinq religieuses et leurs pensionnaires s'empilent encore dans la chaumine du bas de la ville. Pierre de Puiseaux s'empresse d'inviter Jeanne chez lui, ainsi d'ailleurs que Catherine Lézeau, une fille courageuse arrivée seule de Dieppe. Voici deux invitées de plus à la «pointe à Puiseaux». L'on ne tarde pas à apprendre l'histoire de Jeanne.

*
* *

MONTRÉAL OU QUÉBEC?

Le départ des deux groupes de religieuses — augustines-hospitalières et ursulines-enseignantes — en 1639, deux ans plus tôt, a eu en France un retentissement dont les gens de Québec n'ont pu mesurer l'importance. C'est une première pour des femmes. On parle d'expédition inconcevable, surtout à propos de Madeleine, non religieuse, partie en n'écoutant que son intuition profonde. Les commentaires fusent.

Les uns réprouvent son dédain des valeurs qu'ils convoitent: beau mariage, honneurs, argent. Ils se scandalisent et condamnent la femme «instable», «entêtée», «irresponsable», «fantasque», «naïve». Au premier rang, la famille de Madeleine; peut-être se défendent-ils contre un appel qui pourrait les concerner. D'autres s'enthousiasment. C'est le cas de la reine, de certaines dames de la cour, de toutes sortes de personnes ouvertes aux nouveautés, et particulièrement de Jeanne Mance.

De l'âge de Madeleine — exactement, deux ans de moins —, elle est issue du même milieu social bourgeois, au seuil de la noblesse. Née à Langres, en Champagne, dans un milieu chrétien convaincu, d'un père procureur au bailliage, elle est le deuxième enfant d'une famille de douze. Sa mère meurt quand elle a dix-sept ans. Neuf ans plus tard, son père passe lui aussi dans l'autre monde. Jeanne devient soutien de famille à vingt-six ans, ce qui ne l'empêche pas de s'occuper d'œuvres de charité et du service aux malades, laissé à l'initiative privée.

En 1640, ses frères et sœurs tirés d'affaires, elle pense enfin à elle. C'est alors que survient un cousin germain, Nicolas Dolbeau (ou Dolebeau), prêtre, précepteur d'un petit-neveu du cardinal de Richelieu, héritier des titres de son grand-oncle. Le petit-neveu est aussi un neveu de la puissante duchesse d'Aiguillon, nièce de Richelieu, bienfaitrice des augustines, bailleuse de fonds de l'Hôtel-Dieu de Québec, protectrice des ursulines, admiratrice de Madeleine et de Marie de l'Incarnation.

MADELEINE DE LA PELTRIE

Le cousin Nicolas rapporte à Jeanne, en primeur, une grande nouvelle de Paris: l'émoi général causé par le passage à la cour de Marie et Madeleine, précédant leur départ inédit pour la Nouvelle-France. Jeanne est bouleversée par son récit (corroboré par les *Relations*). Elle s'interroge: si les femmes sont admises pour traverser les mers et coopérer à l'évangélisation des peuples d'Amérique, pourquoi pas moi? Toutefois, elle doute.

Elle va donc demander conseil à un jésuite. Le projet semble évidemment aventureux, surtout à partir d'une petite ville comme Langres, éloignée du centre des affaires. Néanmoins Jeanne paraît sérieuse, sans prétention, pleine de bon sens. Qu'elle aille donc voir à Paris le père Charles Lalemant, procureur de la mission du Canada.

Revêtue d'une tenue sombre et modeste, elle prend le coche de Paris. Descendue chez sa cousine Antoinette Dolbeau, elle rencontre le père Charles Lalemant, qui ne sait quoi lui dire.

Au cours de son séjour de trois mois dans la capitale, elle prend conseil, à plusieurs reprises, auprès du célèbre père de Saint-Jure, arbitre ès vocations, qui lui confirme la sienne. Comme rien ne se concrétise sur-le-champ, elle retourne à Langres.

Avertie du projet, la famille réagit violemment — plus peinée de voir partir Jeanne que sensible à sa générosité, bien mystérieuse, pour ne pas dire incompréhensible. Elle ne se laisse pas impressionner, met de l'ordre dans ses affaires et retourne dans la capitale. Cette fois-ci, malgré ses vêtements discrets, elle ne passe pas inaperçue. Les amies de la cousine ont ébruité son projet. On lui fait rencontrer de grandes dames, même la reine, et une certaine veuve, Madame Claude de Bullion, Angéline de son prénom.

Nièce du commandeur Noël Brûlart de Sillery, le bienfaiteur de la réduction qui porte son nom, cette personne joue les grandes mystérieuses, veut demeurer anonyme et explique qu'à l'exemple de la duchesse d'Aiguillon, elle désire fonder un autre hôpital en Nouvelle-France. Pourquoi Jeanne ne s'en occuperait-elle pas?

Il faut dire que madame de Bullion a ses raisons de garder le secret. La fortune dont elle est l'héritière a été fort mal acquise par son défunt mari, qui avait profité de la révolte dite des «va-nu-pieds» en Normandie, pour s'approprier le montant d'un nouvel impôt, aux dépens de l'État et des pauvres paysans.

Pour cette raison, ou pour d'autres, notre Langroise hésite, fait valoir son inexpérience, sa mauvaise santé, retourne consulter le père de Saint-Jure, qui tranche: qu'elle accepte l'offre de mille deux cents livres et aille en Nouvelle-France. Peu importe si elle ne sait pas encore où implanter l'hôpital. Le premier navire en partance de Dieppe sera le meilleur. Mais elle ne connaît personne qui le prenne, aussi va-t-elle à La Rochelle.

Arrivée au port qui, peu à peu, se remet du siège, elle rejoint un jésuite de sa connaissance, le père de La Place. Il lui apprend tout ce qu'elle ne savait pas sur la Nouvelle-France; notamment le projet de Montréal, en préparation sur les quais où règne une intense activité.

Il faut pour imaginer une pareille aventure se plonger dans la mentalité religieuse de l'époque de Louis XIII. La piété se nourrit de rêves, et ces rêves sont fréquemment tenus pour des vérités premières. Madeleine de La Peltrie a rêvé du Canada, Marie de l'Incarnation aussi. Pourquoi pas, après tout, ne pas réaliser ses utopies, si la vie le permet? Et que les experts estiment la chose faisable?

Jeanne apprend donc l'existence d'une certaine société Notre-Dame de Montréal, vassale de la Compagnie des Cent-Associés, création de la Compagnie du Saint-Sacrement — une société d'action catholique imaginée par le duc Henri de Lévis, ex-vice-roi de la Nouvelle-France. Le promoteur de la société de Montréal est un ancien élève du collège jésuite de La Flèche, un certain Jérôme Le Royer de la Dauversière.

Ce nom n'est peut-être pas inconnu de Madeleine. Ses frères Léon et François — morts vers dix et treize ans, élevés à La Flèche — étaient du même âge que Jérôme. Marié, père de famille, Le Royer de la Dauversière est receveur des aides et des tailles (les impôts) et devient sincèrement pieux à l'occasion d'une grave maladie en 1632. Membre de la compagnie du Saint-Sacrement, il multiplie les œuvres de bienfaisance et, devant l'urgence des services à rendre, improvise. Pour les uns, c'est un saint. Ils lui confient de l'argent. Aussi manipule-t-il de grandes sommes. Pour d'autres, c'est un imprévoyant. Toujours est-il qu'on lui devra deux grandes œuvres: les hospitalières de Saint-Joseph et l'entreprise de Montréal, qui lui aurait été inspirée par la *Relation* de 1634. Il doit attendre 1639 pour recevoir de son directeur spirituel, très méfiant au départ, la permission de préparer son projet de mission à Montréal.

Pourquoi avoir choisi cet endroit, si exposé? Les jésuites étaient effectivement intéressés par la grande île, nœud de la navigation fluviale sur la route des Ouendats. Ils avaient obtenu en 1636 la concession de l'île voisine, baptisée île Jésus. En 1637, l'île de Montréal avait été explorée par Jean Nicolet et Jean Bourdon qui en avaient relevé une carte détaillée, envoyée au bureau des Cent-Associés où La Dauversière a pu la consulter.

Jérôme Le Royer de La Dauversière n'est pas riche. Mais il a un ami normand, Pierre Chevrier, baron de Fancamp qui, lui, a des moyens et se trouve disposé à financer à fonds perdus. Ils obtiennent conjointement la concession de Montréal en 1640.

Avant même d'être assurés de l'avoir, Fancamp et La Dauversière expédient des outils et des vivres pour Montréal, à l'adresse du père Vimont à Québec. Lequel reçoit le tout sans être au courant de rien et se demande tout l'hiver 1640-1641 quoi faire de ces ballots.

De Paris, où ils se trouvent en 1640, Le Royer et Chevrier de Fancamp cherchent des chefs. Il n'est, en effet, pas question pour eux de s'embarquer en personne. Leur bonne volonté a des limites. Il faut d'abord un officier. Charles Lalemant le trouve: Paul de Chomedey, sieur de Maisonneuve. Un Champenois, né en 1612, envoyé aux armées dès l'âge de treize ans, qui avait proposé ses services aux jésuites après la lecture d'une *Relation*. Charles Lalemant le met en contact avec Le Royer à qui Paul s'offre sans sourciller, corps et biens, pour le projet de Montréal. Cette aventure exaltante était à l'unisson de la «folie» mystique de l'époque et elle s'avérera très positive.

Fancamp, La Dauversière et Maisonneuve projettent alors d'armer un navire à Dieppe, et deux autres, avec trente hommes et du fret, à La Rochelle. C'est là que Jeanne Mance les rencontrera. Ils sont enchantés de trouver enfin «la femme de vertu assez héroïque et de résolution assez mâle pour venir dans ce pays prendre le soin de toutes ces denrées et marchandises nécessaires...» à la subsistance de la mission de Montréal «et pour servir en même temps d'hospitalière aux malades ou blessés». Mais Jeanne n'accepte pas du premier coup. Elle trouve, semble-t-il, les deux promoteurs et leur officier un peu trop farfelus.

La voici qui baigne encore dans l'incertitude. Elle consulte par lettre madame de Bullion et le père de Saint-Jure, qui conseille à nouveau de foncer. Jeanne se retrouve alors économe du projet de Montréal. Prudente, elle commence par demander à La Dauversière de mettre ses idées par écrit et d'en multiplier les copies. Elle envoie le document à toutes ses amies de Paris, suscitant du même coup la fondation d'une société bien précise — finalisée en février 1642, à Paris, par de grands officiers de la cour et des amis de Richelieu —, «Les messieurs et dames de la société de Montréal».

C'est à Jeanne Mance que revient l'idée d'ajouter «dames». Jamais auparavant on ne parlait des femmes dans les organisations, charitables ou autres. La compagnie du Saint-Sacrement ne les admettait pas, même après avoir bénéficié largement de la générosité de la duchesse d'Aiguillon et d'autres grandes dames. Dès 1649, on s'empressera, du reste, de faire disparaître les femmes de la Société de Montréal. Autre innovation de Jeanne Mance: il s'agit d'une société de laïcs, fondée sur la responsabilité de tout baptisé d'étendre le «royaume de Dieu», libre de toute autorité ecclésiastique.

Voilà comment, unique «dame» seule de la flotte de La Rochelle, Jeanne s'embarque dans l'un des vaisseaux, avec les jésuites et douze hommes, tandis que Maisonneuve part dans l'autre, avec vingt-cinq hommes.

Elle a trente-cinq ans, ce qui n'est plus très jeune. Son départ fait impression. La gazette de Théophraste Renaudot signale, dans un entrefilet daté de La Rochelle le 9 mai 1641:

Aujourd'hui par le soin du sieur de Saint-Christofle, s'est fait l'embarquement de Canada et de l'isle de Montréal... La demoiselle Mance, originaire de la ville de Langres, âgée de 24 ans... [on la rajeunit pour la circonstance], qui mène une vie exemplaire et ne vit que de pain et d'eau... [on exagère] ... y est aussi allée.

*

*   *

MONTRÉAL OU QUÉBEC?

À Québec, le projet de Montréal tombe on ne peut plus mal. Cette organisation arrive sans ordre du roi ni instructions du provincial des jésuites de Paris. Le gouverneur est aux abois, le supérieur des jésuites manque d'effectif. Tout le monde est hostile. Cette opposition agace Madeleine, sensible à la bonne volonté et à l'esprit pratique de Jeanne, et qui nourrit de la tendresse pour le projet, peut-être en mémoire de ses grands frères élevés à La Flèche.

Pour la première fois dans la colonie, la menace iroquoise est sérieuse. La sécurité des habitations non protégées de Trois-Rivières et de Québec est problématique. Ce n'est vraiment pas le moment de penser à fonder une demeure, même fortifiée, en un lieu aussi éloigné que Montréal, d'autant que sa valeur stratégique est nulle pour la colonie française. C'est Trois-Rivières, la cible des Iroquois, qu'il faut fortifier.

L'idée folle de la société de Montréal était d'y fixer plusieurs nations algonquines et éventuellement des Ouendats, et de réaliser à Montréal avec des Algonquins, ce que les jésuites faisaient à Sillery avec des Montagnais. Mais aucun Amérindien n'habite Montréal. D'ailleurs l'île est si peu sûre que même les Algonquins la traversent au plus vite par peur des pièges iroquois. Ils ne sont sûrement pas prêts à s'y établir en «réduction».

Bref, l'opinion n'est vraiment pas favorable à Montréal. On admire le désintéressement des promoteurs, mais on juge leur projet peu raisonnable. On explique à Jeanne ce qu'on peut: la colonie n'a pas plus de quatre cent cinquante habitants en comptant Québec et Trois-Rivières. Soixante et une familles groupent deux cent quatre-vingt personnes, dispersées sur des terres en voie de défrichement à Beauport, Beaupré, Portneuf, Deschambault, Trois-Rivières. Elle écoute à peine et attend Maisonneuve, qui n'arrive toujours pas. Sa détermination est impressionnante.

En septembre, las d'attendre, Jeanne Mance, le père

Dupéron, des chefs Montagnais, Madeleine et Charlotte Barré, décident d'accompagner le père Lejeune à Tadoussac où il doit s'embarquer pour la France. Le second navire de La Rochelle y arrive enfin, avec Paul Chomedey de Maisonneuve.

Tous reviennent à Québec peu avant le 8 octobre. La saison est, bien entendu, trop avancée pour hiverner à Montréal. Maisonneuve expose son projet au gouverneur. Montmagny explique toute la complexité de la situation et propose l'île d'Orléans, beaucoup plus intéressante, économiquement parlant. Maisonneuve refuse avec superbe. Cela n'est pas conforme à son mandat. Plein de bonne volonté, Montmagny propose d'aller voir sur place le terrain montréalais, tant que le temps le permet. Maisonneuve n'y va pas. On ne sait pourquoi. Ce genre d'officier — il fait terriblement penser à Charles de La Peltrie — doit s'imaginer qu'il ne saurait prendre possession de Montréal qu'en grande pompe et que mieux vaut donc s'abstenir. Le 15 octobre, le père Vimont et les principaux habitants de Québec, eux, s'y rendent. Ils choisissent un lieu protégé par un îlot, propice à l'ancrage des barques, que Champlain avait déjà déboisé: la pointe à Callières, près d'une petite rivière en marge du courant rapide qu'on appellera le ruisseau Saint-Martin.

Pendant ce temps, Maisonneuve est invité, avec tous ses gens, à venir hiverner chez monsieur de Puiseaux. Il y retrouve Jeanne Mance, Catherine Lézeau, Charlotte et Madeleine de La Peltrie. Maison et dépendances sont pleines à craquer. Comme il y a du beau chêne sur le terrain, on a mis en train un atelier de charpenterie. Les hommes préparent du bois de construction pour l'année suivante, destiné à Montréal. Jeanne distribue vivres, outils, vêtements et veille à la discipline.

De temps à autre, Madeleine l'emmène avec Catherine Lézeau visiter la réduction de Sillery et l'hôpital des sœurs augustines. Jeanne et Catherine s'intéressent au savoir-faire de ces grandes expertes en soins qui fourniront le modèle du futur hôpital de Montréal.

Toutes et tous assistent avec joie aux offices à l'église de Sillery. Madeleine poursuit sa carrière de marraine. Mais au contact de Jeanne, elle a opté pour Montréal et à son tour cette idée l'exalte. Une nouvelle aventure l'attend.

17

ON FONDE VILLE-MARIE

Voici Madeleine de La Peltrie impliquée tout entière dans la fondation de Montréal. Elle était pourtant venue en Canada, après des années de réflexion, pour créer un monastère d'ursulines à Québec. Plusieurs de ses biographes lui reprocheront cette désertion — en est-ce une? — avec acharnement. Qu'en pensent les contemporains? Tout se joue pendant l'hiver 1641-1642, chez Pierre de Puiseaux.

Dans le contexte «néo-français» de 1641, le projet des montréalistes — c'est le nom que se donnent ses créateurs — n'est pas raisonnable. Montréal «n'est pas encore en assurance, à cause des incursions et des guerres continuelles des Iroquois», écrit Marie de l'Incarnation ce 16 septembre. Ceux qui hivernent à l'anse Saint-Michel sont, en quelque sorte, au ban de la société de Québec, de par le dessein qu'ils ont d'aller s'exposer inconsidérément aux scalps et aux flèches des Iroquois.

Par ailleurs, Madeleine n'a pas assez d'argent pour financer à elle seule l'établissement des ursulines. Son agent, Nicolas Laudier, pense surtout à conserver en France le patrimoine de la famille et à servir ses propres intérêts, appuyé par la cupidité des autres héritiers. Quoi qu'il en soit, les ursulines — et Marie de l'Incarnation le sait depuis la signature du contrat de fondation à Paris en 1639 — ont et cherchent d'autres sources de financement. De plus, avec l'arrivée des religieuses de Paris, elles forment une communauté qui se suffit à elle-même, où madame de La Peltrie et Charlotte, laïques, n'ont plus guère leur place. Le 21 octobre 1641, Madeleine était marraine d'une veuve amérindienne, à l'occasion d'un baptême dans la chapelle des ursulines. L'atmosphère était-elle sereine? Qui sait si les Parisiennes n'ont pas fait sentir qu'on pouvait se passer de leur présence?

C'est tout le contraire avec Jeanne Mance. Sans le savoir, Madeleine a été son modèle. Les deux femmes se réconfortent mutuellement. Madeleine, déçue par Québec qui peut lui sembler se recroqueviller sur des idées très vieille France, se laisse impressionner par Jeanne et son «montréalisme» ouvert sur le nouveau monde de l'Ouest. D'autant plus que les échanges de vues se situent dans un milieu clos, propice aux enthousiasmes. On est entre gens du même avis et l'on se soutient dans la détermination de créer un grand projet innovateur. La volonté simple et paisible de Jeanne Mance et son équilibre puisé dans une vie intérieure authentique paraissent d'une étoffe solide et ont été, comme d'ailleurs pour Madeleine, attestés par les experts parisiens les plus reconnus. Aussi Madeleine n'hésite-t-elle pas à l'accompagner auprès du gouverneur pour plaider la cause de Montréal. D'ailleurs Monsieur de Montmagny n'y est pas opposé, a priori, pas plus que le supérieur des jésuites. L'un et l'autre feront tout, par la suite, pour que l'entreprise réussisse. L'idée est excellente. C'est la conjoncture qui ne l'est pas.

ON FONDE VILLE-MARIE

*

* *

Une scène de la rencontre chez monsieur de Montmagny — avec Jeanne Mance, Paul de Maisonneuve, le père Vimont, Pierre de Puiseaux, Charlotte Barré et Madeleine de La Peltrie — avait été reconstituée à l'ancien musée de cire de Montréal. Actuellement, trois personnages seulement sont exposés au Musée de la civilisation, à Québec: le gouverneur, Jeanne Mance et Pierre de Maisonneuve. Quant à Madeleine de La Peltrie et aux autres, on ne sait ce qu'ils sont devenus.

*

* *

Pendant que Madeleine se laisse convaincre par Jeanne, Paul Chomedey de Maisonneuve s'entretient avec Pierre de Puiseaux. Son discours enflamme le vieux monsieur qui s'ennuie ferme depuis la mort de son ami Samuel de Champlain, en 1635.

Voyant qu'on manque de beaucoup de choses, il fait, le 23 novembre 1641, une donation de ses biens au bénéfice de l'officier, pour la fondation de Montréal. Dans l'exaltation, il se dessaisit de tout: fief de Sainte-Foy, moulin, maison de l'anse Saint-Michel, meubles, dépendances, granges, brasserie, forge, jardins, bois dont on a déjà commencé à abattre les chênes afin d'avoir des matériaux de construction pour les barques et le futur fort de Montréal.

Ce jour-là, au retour de Madeleine, il lui déclare: «Madame, ce n'est plus moi qui vous loge, car je n'ai plus rien ici, c'est monsieur de Maisonneuve à qui vous en avez présentement l'obligation, car il est maître de tout». C'est rapide et étonnant.

L'hiver s'installe. Jeanne et Madeleine visitent fréquemment à Sillery le nouvel hôpital des sœurs augustines. Passant chez les jésuites, elles rencontrent les pères de Quen, Dupéron et Brébeuf, revenu de chez les Ouendats. Jean de Brébeuf en parle parfaitement la langue. Ce n'est pas un mondain. Il est beaucoup moins séduisant que le père Poncet, si agréable en société et à qui Madeleine se confie facilement.

Passent Noël et le Nouvel An. Le 25 janvier 1642 survient un incident assez grave. C'est l'anniversaire de Maisonneuve. Pour lui faire une surprise, Jeanne Mance distribue de la poudre aux hommes: ils déclencheront une salve en son honneur. Le lendemain matin, le canon tonne une heure avant le jour. Tout le monde est réveillé en sursaut. On félicite le héros. Mais la décharge a été entendue de Québec et le gouverneur accuse Maisonneuve d'avoir fait donner l'artillerie sans ordre. La compagnie de Montréal est, en effet, vassale de celle de Nouvelle-France. Pour utiliser le canon, il faut en recevoir l'ordre du suzerain. Telle est la loi de la féodalité. Le maître du canon, un certain Jean Gouray, est mis au cachot quelques jours. C'est lui, le pauvre! qui écope pour les problèmes d'incompréhension mutuelle entre messieurs Montmagny et Maisonneuve; ce dernier ne manque pas de le fêter ostensiblement à sa sortie de geôle.

Le 30 mars 1642, on baptise deux Ouendats instruits par le père Ragueneau et une jeune fille, ancienne pensionnaire des ursulines, Thérèse Khionreha. Le père Vimont officie. Paul de Maisonneuve et Jeanne Mance sont parrain et marraine. Tout le monde saisit l'occasion pour louer leur dévouement et celui de Pierre de Puiseaux, qui s'est dépouillé en faveur de Montréal.

Madeleine estime n'avoir rien donné, d'autant plus qu'elle est, désormais, l'hôte de la fondation, et non plus celle de monsieur de Puiseaux. Elle part chez les religieuses, qui sont toujours dans la petite maison du bas de la ville, ramasser ses meubles et diverses choses utiles à l'église et au séminaire des Amérindiennes. Elle décide même de réorienter sa fondation en faveur de Montréal qui lui paraît plus démunie encore que les ursulines de Québec, renflouées par les Parisiennes. D'ailleurs, elle est convaincue qu'on pourra plus tard fonder un monastère d'ursulines sur la grande île.

Madeleine ne peut être qu'ultra-consciente de la réprobation des religieuses parisiennes. Mais Marie de l'Incarnation la laisse faire. Elle sait, mieux que personne, ce qui s'est passé. D'ailleurs, la vie l'avait prévenue de ce qui l'attendait en Canada, dès Noël 1633, à Tours, sous forme de ce rêve prémonitoire où elle avait fait la connaissance de Madeleine en tant que compagne; celle-ci la quittait «quelque temps pour s'enfoncer plus avant dans l'épaisseur des brouillards». De toutes façons, le dépouillement ne lui déplaît pas. Il la réjouit. Les problèmes sont pour elle le point de départ de nouveaux développements. Ils la forcent à mettre à contribution ses relations et à trouver de nouveaux moyens, même en Nouvelle-France.

Dans ses textes, Marie de l'Incarnation n'a jamais mis en cause les desseins de Madeleine qui «a tant de piété et de crainte de Dieu», qu'on ne peut «douter que ses intentions ne soient bonnes et saintes». Ce qui l'afflige, c'est le danger couru en allant à Montréal exposer sa vie en un lieu où il n'y a même pas d'Amérindiens. Mais Madeleine, comme les montréalistes, est persuadée qu'ils y viendront.

*

* *

Certains jésuites, le gouverneur, d'autres personnes, sans doute, font tout pour retenir Madeleine à Québec. Manifestement, elle ne veut écouter que la spontanéité de son bon cœur, prouver sa solidarité aux montréalistes et accompagner Jeanne Mance, si seule dans une expédition généreuse et difficile.

Peu de gens de Québec aident les montréalistes; sauf un couple, Pierre Gadois et Louise Mauger, apparenté à une famille percheronne connue de Madeleine. Ils n'ont rien à perdre et tout à gagner dans l'aventure. Au nom de la société de Montréal, ils resteront pour s'occuper des anciennes terres de monsieur de Puiseaux. Plus tard, ils deviendront les premiers colons de Ville-Marie.

*
* *

Enfin le grand jour arrive. C'est le matin du 8 mai 1642. On descend les deux barques construites à Sainte-Foy. On les charge de vivres et de matériel. Le gouverneur s'est déplacé tout exprès de Québec. Il représente le roi et la compagnie suzeraine. Monté sur une pinasse, accompagné d'une gabarre, il prend la tête du convoi, escorté de soldats, du père Vimont, supérieur ecclésiastique, de Maisonneuve, de Jeanne Mance et Madeleine de La Peltrie, du père Joseph-Antoine Poncet, de Pierre de Puiseaux. Sont du voyage les domestiques, quarante-quatre engagés, sans oublier Charlotte Barré et Catherine Lézeau.

Le courant du Saint-Laurent est très fort en mai. On remonte à la voile en une dizaine de jours pour parcourir les soixante lieues qui séparent Québec de Montréal. La nuit, on campe sur la rive. Par chance, le vent est favorable et le paysage grandiose. Sur une longueur d'une demi-lieue avant d'arriver, la grève n'est «que prairies émaillées de fleurs de toutes couleurs ... [d'une] beauté charmante», racontera Jeanne Mance, devenue vieille, à une certaine Marie Morin.

ON FONDE VILLE-MARIE

Le samedi 17 mai, on aborde sur le site de la future ville et l'on se jette à genoux pour remercier le Ciel d'être arrivés dans de si bonnes conditions. Selon la coutume, on chante des cantiques de joie et d'action de grâces, pour se rendre compte qu'on a débarqué en pleine forêt. Champlain et ses hommes n'avaient pas désertifié (défriché) une grande surface.

Chacun s'attaque à sa tâche. Les hommes se mettent à dresser des tentes. Les femmes préparent des cuisines de fortune, déballent chaudrons et grils, ballots de pois et de farine, sacs de pruneaux, barils de harengs saurs. Les enfants aident comme ils peuvent.

Le gouverneur met officiellement monsieur de Maisonneuve en possession de l'île. Jeanne et Madeleine préparent l'autel pour la messe. De nos jours, on imagine mal l'importance d'une telle célébration. C'est une cérémonie inaugurale d'une grande gravité que personne ne voudrait manquer. Aussi les femmes consacrent-elles à l'embellissement de l'autel un soin extrême, le parant même de tous leurs bijoux.

Le père Vimont prononce un beau sermon, comparant l'action des montréalistes à un petit grain de moutarde, dont il ne doute qu'il produira un grand arbre, s'étendant de toutes parts. Puis le Saint-Sacrement est exposé.

Surgit alors, dès le soir, le problème de la lampe de sanctuaire. C'est un symbole puissant. L'une des femmes, probablement Madeleine ou Charlotte, plutôt que Jeanne Mance, se souvient alors que le père Le Jeune, à Tadoussac, utilise des lucioles pour lire la nuit. Elles partent, sans doute avec les enfants, attraper les mouches à feu, qui, rapportera Marie Morin, brillent «fort agréablement devant l'autel, jour et nuit, y étant suspendues par des filets d'une façon admirable et belle, et toute propre à honorer selon la rusticité de ce pays barbare» le mystère chrétien.

Le père Vimont, en dépit de ses belles paroles, s'interroge

ouvertement sur les chances de réussite de la nouvelle mission. Il sait bien que les Algonquins ne viendront qu'à l'occasion, et jamais longtemps. Mais personne ne veut entendre ses discrètes mises en garde.

Dès la fin des festivités inaugurales, les hommes se remettent au travail. Maisonneuve insiste pour abattre lui-même le premier arbre. Il faut tout de suite tailler les pieux dont on doit entourer le campement. Quelques jours plus tard, la palissade est en place, doublée d'un fossé large et profond. Le gouverneur estime les montréalistes relativement en sécurité. Toutefois, il insiste pour que Pierre de Puiseaux et Madeleine de La Peltrie retournent à Québec. Ni l'un ni l'autre ne veulent laisser seuls leurs amis. Monsieur de Montmagny s'en va donc avec sa simple escorte. Quelques-uns des hommes le suivent avec une barque, pour aller chercher le reste du matériel. Ils en profiteront pour transformer en entrepôt et en habitat de passage la construction commencée l'année précédente sur le port de Québec par les premiers montréalistes débarqués de Dieppe.

Chacun vaque aux nombreux travaux nécessaires. Maisonneuve entreprend la construction d'un fort. On dresse des cabanes en écorce, dont une église, sans oublier un dispensaire pour Jeanne Mance.

Le 28 juillet, à la plus grande joie de tous, une première famille amérindienne s'installe, celle d'Atchéast, un Iroquet — bande algonquine également nommée Onontchataronon, évoluant dans la vallée de l'Outaouais. Il n'y a personne sur l'île, on y trouve donc beaucoup de gibier et on espère que ce sera un attrait pour les aspirants-sédentaires qu'on croit deviner chez les Onontchataronons.

Évidemment, on garde toujours un œil sur le fleuve, à guetter l'arrivée d'éventuelles barques. Voici Pierre Legardeur, lieutenant du gouverneur, avec le courrier pour Montréal. Il annonce l'arrivée des soldats venus construire un poste à l'emplacement de Sorel. Il apporte à Madeleine une lettre du supérieur général des jésuites, qui admire son zèle et sa charité. Mais il est aussi messager d'une mauvaise nouvelle. Personne n'a pu proposer à Richelieu le moindre plan pour déloger les Hollandais de la Nouvelle-Amsterdam — future New York — et priver ainsi les Agniers de l'opportunité de se procurer sans mal des armes à feu. Jeanne Mance, par ailleurs, reçoit une lettre de sa pourvoyeuse de fonds, madame de Bullion, qui approuve le projet montréalais et promet son aide pour l'hôpital. On apprend par la même occasion que les Parisiens de la société de Montréal ont décidé de l'appeler *Ville-Marie*.

Dès la première moitié d'août, avant même que le fort ne soit terminé, les Agniers attaquent. Maisonneuve les fait fuir et autorise pour le 15 août, jour chômé, la tenue d'une belle procession. Le canon tonne, cette fois-ci en toute légalité. Il y a plusieurs cabanes amérindiennes autour des françaises. Le chef Onontchataronon emmène les colons au sommet du mont Royal. L'histoire ne dit pas s'il en profite pour faire admirer aux nouveaux venus un magnifique barrage de castors, formant un petit lac au sommet de la montagne. Mais il prononce un discours très instructif:

Nous sommes de la nation qui avait autrefois habité cette île. Voilà où il y avait des bourgades remplies de très grandes quantités d'Amérindiens. Les Ouendats, qui pour lors étaient nos ennemis, ont chassé nos ancêtres de cette contrée. Les uns se retirèrent vers le pays des Abénaquis, les autres au pays des Iroquois. Et une partie vers les Ouendats eux-mêmes et s'unissant à eux. Et voilà comment cette île s'est rendue déserte. Mon grand-père... a cultivé la terre en ce lieu-ci. Les blés d'Inde y venaient très bien. Le soleil y est très bon.

Et, prenant de la terre avec ses mains: regardez, disait-il, la bonté de la terre, elle est excellente[39].

Ceci expliquerait l'énigme posée par la disparition des sédentaires qu'avait rencontrés Jacques Cartier au siècle précédent. Ils auraient été des Iroquoiens. Les Onontchataronons apparaissent comme acculturés aux Algonquins. Ils parlent leur langue. Il semblerait qu'ils soient les descendants algonquanisés d'un petit groupe iroquoien échappé d'un désastre. Curieusement, leur nom, Onontchataronon, est ouendat.

La présence de ces Amérindiens enchante Madeleine et ses amis qui proposent de les aider à venir s'installer à Ville-Marie. Mais ils hésitent, par peur des Iroquois. Le père Vimont spécifie justement qu'il a «bien de la peine à croire qu'il y ait jamais un grand nombre d'Amérindiens à Notre-Dame de Montréal, que les Iroquois ne soient domptés et nous n'ayons la paix avec eux[40]». Des Ouendats de passage disent d'ailleurs qu'ils auraient devancé les montréalistes, s'il n'y avait eu le conflit iroquois. Arrive l'automne. Maisonneuve et Jeanne Mance envoient du courrier à Paris avant le départ de la dernière flotte.

À l'hiver 1642-1643, restent Maisonneuve et Jeanne Mance, les pères Poncet et Dupéron, Madeleine et Charlotte, Catherine Lézeau, Pierre de Puiseaux avec Marie Joly et Antoine Damiens, les deux familles — Nicolas Godé/Françoise Gadois et leurs quatre enfants et Antoine Primot/Martine Messier et leur fille adoptive —, et quelques dizaines d'hommes, soldats ou ouvriers. À l'intérieur du fossé et de la palissade de pieux, les hommes ont réussi à construire un fort, avec une pièce qui sert d'hôpital pour les malades, et un logement pour les cinquante-cinq personnes, dont dix de sexe féminin. On fait

---

39. CAMPEAU (1990), p. 445-446.
40. *Op. cit.*, p. 447.

connaissance. Chacun calfeutre sa place comme il peut. Aucun Français ne sera malade cet hiver-là; l'hôpital est occupé par quelques Amérindiens que Jeanne Mance réussit à guérir.

Le père Poncet est le premier aumônier de cette mission. Madeleine en est ravie. Peut-être même est-ce sur son conseil que le père Vimont l'a nommé à Montréal, malgré les reproches nourris à son égard: manque d'obéissance, imagination trop fertile. Toutefois, il est accompagné du père Dupéron, plus ancien, supérieur des deux jésuites. En fait, tout le monde admire le père Poncet et la façon dont il anime les prières, même le père Dupéron.

La nuit de Noël, comme cela arrive parfois en plein hiver, connaît un redoux. La petite rivière déborde et couvre en peu de temps les prairies et les lieux voisins du fort. On craint qu'elle n'emporte toutes les constructions. À la vue de l'inondation, chacun se retire des endroits les plus vulnérables et tous se rassemblent dans les parties hautes de l'habitation. Il n'y a rien à faire que d'implorer le Ciel. On se met en prières. Maisonneuve fait un vœu: si la rivière retourne dans son lit, il portera une croix et la plantera près de la montagne. L'eau monte. Elle remplit le fossé, vient lécher la porte. De l'intérieur, chacun regarde le spectacle. L'heure est grave. Nul ne se trouble, ni ne murmure. On dit la messe de minuit avec ferveur, puis on se tient coi. Peu à peu, au fil des heures, il semble que le flot se retire. L'habitation est enfin hors de danger. On respire.

Reste à accomplir le vœu. Les hommes vont tailler un chemin dans le bois. Maisonneuve met la main à la hache. Le jour des Rois, on part en procession. Le chef porte la lourde croix pendant une lieue. Puis les hommes la plantent en haut de la montagne. Le père Dupéron y dit la messe, et fait honneur à Madeleine en l'invitant à communier la première.

(Trois cent cinquante ans plus tard, il y a toujours une croix en haut du Mont Royal, même si ce n'est plus celle plantée par Maisonneuve. Avis aux curieux: la scène du vœu est représentée sur un vitrail à l'église Notre-Dame de Montréal.)

À la fin de février, passe une bande de vingt-cinq hommes, allant en guerre contre les Iroquois. Leurs femmes et leurs enfants s'arrêtent à côté du fortin de bois. D'autres Amérindiens viennent s'installer. L'un demande à être baptisé, ce qu'acceptent les pères. Madeleine devient marraine, encore une fois, d'un Joseph. Elle offre une arquebuse à son nouveau filleul afin qu'il puisse bien chasser et se défendre contre les Iroquois. D'autres baptêmes ont lieu en mars. Chacun à son tour, les colons deviennent parrains et marraines. Arrive enfin le printemps, et les premiers courriers de Québec.

En juin 1643, le chantier de construction bat son plein. Survient une flottille ouendat rassemblant une soixantaine de personnes, qui, pour voir, a fait le détour par Ville-Marie. Ce n'est pas son chemin. Habituellement, les Ouendats préfèrent passer par la rivière des Prairies et éviter ainsi les rapides de Lachine et la rive sud exposée aux Iroquois. Les treize canots, sans armes, sont chargés de pelleteries. Au moment où ils abordent, des Agniers embusqués fondent, dans un épouvantable vacarme de coups de feu, sur les visiteurs. Vingt-trois Ouendats sont faits prisonniers. Les Agniers s'emparent des canots et du chargement de peaux qu'ils iront vendre à la Nouvelle-Amsterdam. Ils tuent trois ouvriers français et font deux prisonniers. On s'attend dorénavant, d'un moment à l'autre, à un nouveau coup de mains. Les Algonquins quittent peu à peu Ville-Marie.

Un jour d'été, le gouverneur vient en personne annoncer les malheureux décès du cardinal de Richelieu et du roi Louis XIII. Mais le poids politique des montréalistes est renforcé. Le roi, avant de mourir, leur a offert un navire — rien de moins —, le «Notre-

Dame de Montréal». En sont débarqués Louis d'Ailleboust, gentilhomme ingénieur en fortifications, sa femme et sa belle-sœur, Barbe et Philippine de Boulogne. Champenois prestigieux — son grand-père avait été chirurgien du roi Henri IV — d'Ailleboust viendra, escorté des deux dames, se joindre aux montréalistes.

Ils arrivent à Ville-Marie un peu plus tard, avec plusieurs recrues dont Gilbert Barbier, un maître charpentier, et le maçon François Bélanger. Barbier, dit le Minime, fera son chemin sur l'île de Montréal et sera le père d'une petite Marie qui, devenue grande, succédera à Marguerite Bourgeoys à la tête des Filles de la Congrégation.

Les pionnières sont maintenant douze: Jeanne Mance, Catherine Lézeau, Barbe et Philippine de Boulogne, Françoise Gadois et Martine Messier, Marie Joly, les deux filles de Nicolas Godé — Françoise et Mathurine —, et Catherine Thierry, sans oublier Charlotte Barré et Madeleine de La Peltrie.

Louis d'Ailleboust, qui n'a que trente et un ans, l'âge de Maisonneuve, met ses connaissances à l'épreuve et dirige la construction d'une solide fortification. Les petits pieux sont enlevés et l'on érige un vrai fort, flanqué de quatre bastions.

Les ouvriers construisent. Les pères baptisent. Les colons deviennent à nouveau parrains et marraines. Madeleine a pour compères Pierre de Puiseaux, Paul Chomedey de Maisonneuve, Nicolas Godé, Gilbert Barbier, Jean-Baptiste Legardeur, fils aîné de Pierre Legardeur, qui n'a que treize ans, confié aux jésuites par son père. Les montréalistes jubilent de pouvoir annoncer dans leurs lettres que la mission va bien, qu'il y a des conversions. Les bailleurs de fonds seront gratifiés. Ils n'imaginent pas un seul instant que cet enthousiasme provoquera la réprobation des grands responsables jésuites, qui n'aiment pas qu'on convertisse trop vite.

Côté défrichage, les choses vont beaucoup moins bien. Il ne peut être question, pour l'instant, de créer une colonie française à Montréal. Les dangers sont trop grands. On ne pense qu'à une mission. La première seigneurie n'apparaîtra pas avant 1648. Mais quand tombe l'hiver 1643-1644, il n'y a plus d'Amérindiens.

Jeanne et Madeleine pensent alors à de nouvelles possibilités.

18

POURQUOI NE PAS ALLER
«AUX HURONS»?

Il n'y a, au pays des Ouendats, ni école ni hôpital. Pourquoi Madeleine et Jeanne n'iraient-elles pas en fonder? Elles mûrissent leur stratégie pendant l'hiver 1643-1644. En effet, contrairement à ce que l'on a cru (un séjour d'un an seulement de Madeleine à Montréal), sa présence est attestée pendant deux ans grâce, d'une part, aux travaux de Lucien Campeau sur la correspondance des jésuites, publiée dans *Monumenta Novæ Franciæ* (volume VI) et, d'autre part, au *Registre de la population du Québec ancien*.

Ce deuxième hiver est une saison qui voit Ville-Marie se développer. L'alimentation reste toujours difficile, mais les produits des premiers jardins, haricots, maïs et courges de plusieurs espèces, agrémentent avantageusement l'ordinaire. Pour ce qui est de l'habitat, les hommes, sous la direction de l'expert charpentier et arpenteur Gilbert Barbier, ont beaucoup travaillé pendant l'été pour l'améliorer. On est un peu moins entassé que l'hiver précédent. Les familles ont maintenant des quartiers à part. Le risque d'inondation est écarté. Mais les nouveaux arrivants et l'absence d'Amérindiens créent une autre atmosphère.

Sous la présidence de Maisonneuve, on constitue une sorte de fraternité: côté hommes, Paul Chomedey de Maisonneuve, Louis d'Ailleboust, Léonard Lucau, Gilbert Barbier, Louis Prud'homme, Lambert Closse. Côté dames: Barbe d'Ailleboust, Jeanne Mance, Philippine de Boulogne, Madeleine et Charlotte. On s'appelle frère et sœur. On se rend de petits services qui facilitent la vie en commun. On mène une vie très pieuse. Au risque de se faire enlever par les Agniers, on organise un autre pélerinage au Mont Royal.

Les jésuites se sont fait réprimander par leurs supérieurs au sujet du trop grand nombre de baptêmes: témoigner du christianisme ne veut pas dire baptiser en masse. Joseph-A.Poncet reste en poste, mais le pauvre François Dupéron est limogé et remplacé par un jeune, Gabriel Druillettes, futur explorateur. Accompagné de Claude Dablon, il suivra en 1661, la trace des Algonquins qui ont fui les Iroquois à Ville-Marie et parviendra presque jusqu'à la mer du nord (baie d'Hudson), par le lac Saint-Jean et le pays des Mistassins (lac Mistassini). En attendant, à Ville-Marie, les dames continuent à préférer Joseph-Antoine Poncet, et le charme de son style.

C'est avec Poncet que Jeanne et Madeleine envisagent une manière de rejoindre les Amérindiens là où ils se trouvent. C'est pour ces derniers que Madeleine a mené la vie aventurière qui l'a conduite d'Alençon à Québec, par le Perche, Paris, Tours, Dieppe, Tadoussac; outrepassant les affres de l'océan et l'«espouvantable» réputation du Canada; défiant la peur des longs hivers, le risque des printemps tumultueux, les estacades de la finance, des convenances ou de la hiérarchie, les barrières familiales et cléricales; ouvrant la porte par où Jeanne a pu sortir de France. Ni l'une ni l'autre ne sont venues en Amérique pour ouvrir une pieuse pension de famille avec ces messieurs et ces dames mont-réalistes, même si c'est très sympathique.

Pierre de Puiseaux est tout à fait du même avis. Il pense très sérieusement à redemander ses biens à la société de Mont-réal qui a dorénavant d'excellentes sources de financement en France. L'existence du bateau «Notre-Dame de Montréal» et la présence de la famille d'Ailleboust le prouvent. Sa maison, à l'anse Saint-Michel, serait une base d'opération tout indiquée pour préparer une expédition au pays des Ouendats. Jeanne, de son côté, décide d'écrire à madame de Bullion pour lui deman-der l'autorisation de transporter la fondation d'un Hôtel-Dieu de Montréal en Huronie.

Au printemps de 1644, une fois la navigation rétablie sur le fleuve, Madeleine s'embarque avec Charlotte, Pierre de Pui-seaux et ses serviteurs Antoine Damiens et Marie Joly, pour l'anse Saint-Michel, dans le but de préparer la nouvelle aventure chez les Ouendats.

Elle n'y reste pas longtemps. Avant de s'engager, il faut absolument qu'elle prenne connaissance de son courrier et de l'état de ses finances. Elle trouve toutefois un moment pour aller voir les ursulines qui ont emménagé dans le nouveau monastère. Marie de l'Incarnation lui conseille de donner des ordres pour la construction d'une maison à l'autre bout du terrain des ursulines. On ne sait jamais, cela pourrait être utile. Madeleine accepte et se réembarque presque aussitôt pour Tadoussac, en compagnie de Charlotte. En attendant la flotte, elles campent avec les Montagnais.

*
* *

195

Pendant deux mois, elles logent dans un teepee en écorce de bouleau, bien dressé sur des perches. Le feu est au milieu, la fumée s'évacue par en haut. Pendant ce séjour, elles ont dû sentir le fumé comme de vrais jambons. L'odeur a l'incomparable avantage d'éloigner les brûlots, mouches et moustiques de toutes sortes.

On trouve dans leur écuelle d'écorce les mêmes aliments et la même boisson que dans celles des Montagnais ou Algonquins: de la sagamité sans sel ni gras, et ce, tous les jours, pendant deux mois; de quoi regretter la nourriture de sœur Cécile, salée, onctueuse, garnie de pruneaux de Tours et arrosée, à l'occasion, d'un verre de vin de France. Invitées dans les cabanes amérindiennes, elles y mangent la sagamité de leurs hôtes. Si la gastronomie en souffre, Madeleine a du moins le bonheur de partager enfin la vie de ceux pour qui elle a affronté tant de dangers. Peu importe qu'on trouve parfois des cheveux ou même un mocassin dans le plat. On s'habitue à tout. Le plaisir d'être avec eux est bien plus fort que la répugnance.

Une telle expérience aurait pu la faire renoncer à tout jamais à un départ au pays des Ouendats. Au contraire, sa détermination s'y forge. Les jésuites, impressionnés, en concluent que son «grand cœur n'en trouvait pas encore assez pour contenter la soif extrême qu'elle avait du salut des âmes» et Marie de l'Incarnation, qu'elle ne craint «point les fatigues pour tâcher d'avancer la gloire de Dieu».

Enfin, la flotte arrive, avec le courrier et les voyageurs, dont le père Le Jeune. Noël Negamabat, un des chefs de Sillery, qui était venu jusqu'à Tadoussac, se précipite sur le navire avant même que le père n'en soit descendu, l'embrasse, et lui déclare:

> Voilà qui va bien, mon père, que tu sois de retour. Je suis descendu exprès de Québec pour te voir. Ayant appris des premiers vaisseaux que tu devais retourner, je me suis mis en chemin pour te voir le premier. Nous avons tous prié

pour ton voyage. Nous disions à celui qui a tout fait: «Conserve notre père. Ouvre les oreilles de ceux à qui il doit parler dans son pays, et dirige ses paroles afin qu'elles aillent tout droit et que pas une ne soit perdue. C'est lui qui t'a conduit. C'est lui qui t'a ramené. C'est lui qui a calmé la mer. Ô que nous sommes contents de ce que tu parais encore une fois en notre pays[41]!

Deux ursulines de Tours, Anne Compain de Sainte-Cécile et Anne Le Boutz de Notre-Dame, touchent terre pour la première fois depuis leur embarquement à La Rochelle. On procède à quelques baptêmes. Madeleine est marraine de plusieurs enfants. C'est au tour des sœurs de Tours de pleurer de joie tant elles sont heureuses de voir de leurs yeux ce qu'elles avaient souhaité ardemment depuis si longtemps.

En lisant son courrier, Madeleine apprend le bon état de ses finances. Or, il y a à Tadoussac une église très pauvre, en bois, construite à la hâte en 1615, par un récollet, le père Dolbeau. Les jésuites souhaitent en bâtir une neuve, plus conforme à la nouvelle ardeur religieuse des Montagnais. Madeleine leur donne tout de suite l'argent nécessaire pour édifier une petite construction de pierre, la première du genre au Canada. À cette occasion, Louis XIV fera cadeau d'une cloche de bronze et d'un enfant Jésus de cire, habillé d'une robe de soie brodée par la reine mère Anne d'Autriche elle-même. Par la suite, les Montagnais prendront à cœur de décorer cette église avec des peaux de castor, une tapisserie et de beaux chandeliers de bois.

Cette chapelle fut incendiée puis reconstruite, en bois en 1747. On peut toujours y admirer l'enfant Jésus, la robe d'Anne d'Autriche, la cloche de Louis XIV et les décorations des Montagnais.

---

41. CAMPEAU, *Monumenta Novæ Franciæ*, vol. VI (1992).

MADELEINE DE LA PELTRIE

Début août 1644, Madeleine revient à l'anse Saint-Michel où elle prépare activement son départ chez les Ouendats, sous l'œil excédé du père Vimont. Le supérieur de la mission jésuite est absolument furieux de ce projet. Il explique sur tous les tons que c'est «à trois cent lieues de Québec», que les chemins sont «embarrassés de torrents et de chutes d'eau qui feraient même peur à ceux qui ne les verraient qu'en peinture». Le père Lejeune — qui n'a pas eu l'occasion d'observer le comportement de Madeleine ni à Montréal, ni à Tadoussac — ajoute que les femmes ne peuvent pas y aller en raison de «l'horreur des chemins» et des «grands travaux et dangers» qui «surpassent leur sexe».

Il n'en faut pas plus pour déterminer l'«amazone», comme ces pères savent si bien dire, à y aller. Il y a là-bas quatre-vingt mille Ouendats, Neutres et Pétuns. Elle est venue pour les Amérindiens. C'est auprès d'eux qu'elle doit se rendre.

Évidemment, Madeleine va voir Marie de l'Incarnation au nouveau monastère. C'est encore un chantier, mais pensionnaires, externes et religieuses y vivent. Marie déploie sans relâche une activité qui n'a d'égale que sa sérénité et sa bonne humeur. Respirant la joie de vivre, elle étonne tout le monde en se débrouillant, on ne sait comment, pour toujours trouver ce qu'il lui faut.

Entre une escalade sur le toit de la bâtisse avec les charpentiers et une négociation financière avec les capitaines qui livrent les marchandises de France, Marie apprend à Madeleine les dernières nouvelles. Les Iroquets qui ont déserté Montréal sont passés par Québec. On en a baptisé plusieurs dans la nouvelle chapelle des ursulines. Tristesse: une des filleules de Madeleine, Agnès Chabouegouechich, est tombée morte dans le bois, son livre de prières à la main. Le père Claude Pijart — ce père, parti depuis chez les Ouendats et dont Madeleine admirait tant le savoir-faire — l'avait baptisée le 22 janvier 1640. Joie (embarrassante): une Amérindienne qui venait d'accoucher de deux jumelles, et n'avait de lait que pour une, a donné l'autre aux religieuses en leur disant: «Vous n'avez point de lait, mais tellement de charité et d'esprit, que vous trouverez bien le moyen de lui sauver la vie!» Voilà les ursulines devenues nourrices. C'est sœur Marie-Joseph qui soigne le bébé.

On parle du risque iroquois. Marie s'inquiète encore pour la vie de Madeleine, mais sans pour autant lui reprocher son départ. Elle lui fait simplement comprendre la joie qu'elle aurait à la voir revenir. Justement, la construction de la maison va bon train à l'autre bout du terrain. Ce sera un vrai petit manoir pour l'endroit. À part la maison du gouverneur, celle des ursulines et celle des augustines, c'est la seule construction de pierres à Québec. Cette petite bâtisse a deux niveaux, trente pieds de long, vingt de large. Elle promet d'avoir belle allure. Si Madeleine le désire, elle pourrait y emménager à l'automne.

Marie ne touche pas un mot d'une lettre de Jean de Bernières signalant qu'il faudrait retourner en France si personne ne compense les entrées de fonds de Madeleine. La supérieure des ursulines agit comme quelqu'un qui continue son œuvre, sans se soucier des orages. Du reste, mademoiselle de Luynes — fille de l'ex-favori de Louis XIII et de madame de Chevreuse — a envoyé des dons substantiels.

Jean de Bernières, de son côté, essaie sans doute de faire comprendre à Madeleine qu'il préférerait la savoir auprès des ursulines, à Québec. Il est parfois si timoré en certaines circonstances que son «épouse» — qui se souvient de ses trois jours de panique avant d'accepter d'entreprendre la moindre démarche de «mariage» — ne l'écoute guère, tout en étant très touchée par sa bienveillance.

Mais elle ne veut rien savoir. Soutenue par monsieur de

Puiseaux, elle retient une compagnie (des accompagnateurs), des canots, des provisions. Les petits ballots, qui contiennent de quoi vivre au pays ouendat et y faire des libéralités, sont ficelés. Elle n'attend que le moment de partir, avec la flottille des pays d'en haut, qui n'est pas encore arrivée.

La voici enfin, et le père Claude Pijart. Il explique qu'on a bâti des chapelles dans les cinq principaux bourgs ouendats. Mais les Iroquois sont en guerre déclarée. Ils ont capturé le père Bressani et ses compagnons partis les rejoindre. Cinq hommes ont été tués, deux brûlés tout vifs. Les Agniers sèment la terreur tout le long du parcours. Personne ne peut assurer la sécurité de Madeleine ni celle de Charlotte. L'une et l'autre pourraient très bien tomber entre leurs mains, être prisonnières. On imagine le pire: violées; pas forcément par les Iroquois. Marie de l'Incarnation signale par ailleurs, au sujet des Iroquois, qu' «ils ne font pas aux personnes de notre sexe les ignominies qu'on me mande que les Français ont faites (en Europe). Ceux qui ont habité parmi eux m'ont assuré qu'ils n'usent point de violence et qu'ils laissent libres celles qui ne leur veulent pas acquiescer.» Elle ajoute toutefois: «Je ne voudrais pourtant pas m'y fier.»

Risque de capture par les Iroquois, de viol par les Français, il y a de quoi remettre des projets en cause. Anne d'Autriche, la reine régente, vient de faire passer une compagnie militaire, dont une escouade d'une vingtaine de soldats français, pour la Huronie.

Nul ne sait ce que le père Pijart a pu ajouter, mais tout se passe alors comme si ce contact avait été, pour Madeleine, la cause d'une prise de conscience déterminante. Son action personnelle auprès des Amérindiens devient-elle illusoire à ses propres yeux? Les voyages, inutiles? Toujours est-il qu'elle prend la résolution spectaculaire et définitive de ne plus y penser.

Elle donne aux jésuites qui retournent là-bas tout ce qu'elle

a préparé. Elle décide en plus de payer l'entretien d'un missionnaire qui, en quelque sorte, ira à sa place. Ceci ne l'empêchera
aucunement de penser aux Ouendats, ni, surtout, de s'occuper
des petites filles avec les ursulines. Il y en a désormais plus à
Québec qu'à Montréal.

Reste un gros problème: Jeanne Mance attend à Ville-
Marie pour partir chez les Ouendats. Mais il n'en est pas plus
question pour elle que pour Madeleine. Le père Vimont, toujours furieux, l'a accablée de remontrances, affirmant que son
départ et le transfert de l'hôpital mettraient en danger le sort de
la colonie de Montréal. Jeanne restera donc à son poste, heureusement aidée par Catherine Lézeau. Elle construira son hôpital
l'année suivante, un peu plus haut sur la pente pour éviter tout
risque d'inondation, et bien entouré d'une forte palissade contre
les attaques.

Quant à Pierre de Puiseaux, pris de paralysie, il se fait
rétrocéder par Maisonneuve tout ce qu'il a donné aux montréalistes et prépare, avec Marie Joly et Antoine Damiens, son
retour en France.

Dès que sa maison est prête, Madeleine s'y installe avec
Charlotte, à la plus grande joie de tous, y compris du père
Vimont qui n'a pas le triomphe modeste. Dès que les petites
amérindiennes ont vu revenir Madame la fondatrice, clame-t-il
partout, elles ne «pouvaient contenir leur joie» et la regardaient
«comme leur mère qui les a toujours chéries et aimées». Le fait
est qu'elles lui font un incroyable accueil. L'une, dit-on, a prié
depuis trois ans pour son retour. Madeleine aussi est enchantée
de les revoir. Une autre page de sa vie va commencer.

Sixième partie

LE RAYONNEMENT
D'UNE FRANC-TIREUSE

19

AU COUVENT, MAIS PAS RELIGIEUSE

1645 est une année-charnière dans le destin de Madeleine et celui de la Nouvelle-France. La première se demande comment réajuster sa vie. La seconde franchit un nouveau stade de croissance. La population est montée à six cents habitants, dont quatre-vingt-cinq familles et une forte proportion de Percherons pour lesquels Madeleine est toujours la Dame de La Peltrie. Ils donnent le ton. Elle est une grande dame pour toute la colonie, échelonnée de Québec à la nouvelle Ville-Marie, en passant par les Trois-Rivières.

Chacune de ces places, bien munie de forts, est désormais une agglomération permanente. Affronter d'innombrables difficultés est devenu une habitude. Le climat et l'unique flotte annuelle isolent la vallée laurentienne les deux tiers du temps. Il faut attendre un minimum de neuf mois pour régler la moindre affaire, aussi pressée ou importante soit-elle. «On ne conçoit pas (de France) la plupart de nos intentions», écrit Marie de l'Incarnation qui, par son abondante correspondance, nous fournit une chronique régulière de la vie quotidienne.

En vieille France, Anne d'Autriche, régente depuis la mort de Louis XIII, a fort à faire avec les problèmes de politique intérieure et européenne. Pourtant cette reine est de bonne volonté face à la Nouvelle-France. Se souvient-elle des visites de Madeleine et Marie? À la demande des habitants qui ont dépêché Pierre Legardeur de Repentigny, elle permet que le monopole des fourrures passe à un organisme entièrement nouveau: la Communauté des Habitants, sous l'autorité des Cent-Associés, qui perdent ainsi une partie de leurs prérogatives et de leur pouvoir. Une fragile étape d'autonomisation est franchie.

Plusieurs des douze responsables de la nouvelle Communauté sont des amis de Madeleine: Robert Giffard, Noël Juchereau, Jean Bourdon, François Chavigny de Berchereau et, bien entendu, Pierre Legardeur de Repentigny. Justement ce dernier va profiter de son voyage à La Rochelle pour y faire des démarches au nom de Madeleine. Il y recrute des ouvriers pour le chantier — pas encore terminé — des ursulines. Il ramènera un charpentier, un tailleur de pierres et deux maçons.

La cohorte de ces hommes, embauchés par les uns ou les autres, peuple la colonie et en construit l'histoire, grande et petite. Après son contrat de trois ans, l'un des maçons, Jean Nepveu, se dit célibataire afin de convoler avec une certaine Anne Léodet. Trois enfants naîtront. Un beau jour, l'un de ses amis passe en Poitou dans son village d'origine, Saint-Georges de Montaigu, aujourd'hui en Vendée. On y demande de ses nouvelles. Le visiteur découvre une épouse inquiète et des enfants dans la plus profonde misère. Le pot aux roses de la bigamie mis au grand jour, Jean Nepveu sera condamné en 1657 à retourner s'occuper de sa famille poitevine. Anne Léodet ne le regrettera guère et se remariera tout de suite après le départ du père de ses trois enfants.

AU COUVENT, MAIS PAS RELIGIEUSE

Du printemps à l'automne 1645, des changements très encourageants se produisent du côté des Iroquois. Cela commence par une expédition de chasse menée en avril par six ou sept Algonquins. Chasse? Pas exactement; mieux vaudrait dire guérilla contre les Agniers. Ils en surprennent quatorze. La poignée d'Algonquins prend le dessus. Mais au lieu de tuer tous leurs adversaires, ils n'en font passer que neuf de vie à trépas et gardent deux prisonniers pour en faire présent à Onontio (grande montagne). Monsieur de Montmagny, gouverneur de la Nouvelle-France, qui les rencontre à Sillery, décide de les garder à Trois-Rivières et renvoie chez lui, le 21 mai, un captif d'un précédent coup de main, avec mission d'engager des pourparlers de paix. Ce dernier revient le 5 juillet accompagné de trois hommes. À la grande surprise des témoins, l'un d'eux est Guillaume Couture, un Français enlevé quelques mois plus tôt et habillé à l'amérindienne, qu'on croyait mort; les deux autres sont des ambassadeurs, dont un certain Kiotsaton.

Ce brillant Iroquois impressionne tout le monde par son intelligence, son sens de l'humour, du théâtre et du mime. Ne parlant pas français, il réussit à se faire comprendre avec beaucoup de nuances et de détails grâce à une mise en scène appropriée et des gestes éloquents. Le gouverneur de Trois-Rivières, monsieur de Champflour, puis, le 12 juillet, Onontio, ont l'occasion de constater ses talents. Le 15 juillet, tous les Agniers se rembarquent avec une nouvelle mission de paix et deux Français en caution. L'accord est ratifié avec bonheur en pays iroquois. Les émissaires sont de retour le 18 septembre.

Ceci pourrait n'avoir aucun rapport avec Madeleine. Néanmoins, les registres de l'état civil signalent le 17 mai sa présence aux Trois-Rivières, comme marraine. Elle y est encore le 10 août avec monsieur de Champflour, qui est parrain. On l'y retrouve à nouveau le 2 septembre. Est-elle restée aux Trois-

Rivières de mai à septembre? A-t-elle fait plusieurs fois le voyage, par exemple pour retourner à Québec, voire Tadoussac, et accueillir, dans les premiers jours d'août, les voyageurs de la flotte, avec Pierre Le Gardeur et les quatre ouvriers? A-t-elle assisté aux grandes négociations de juillet aux Trois-Rivières? Si oui, c'est elle qui aurait informé Marie de l'Incarnation des péripéties de la paix de 1645. Ce qui expliquerait la grande précision du récit qu'en fait l'ursuline.

Dans l'état actuel de la recherche, les documents sont muets sur ces questions. On ne sait que le nom des enfants baptisés: tous des Amérindiens, sauf Marie-Madeleine Hertel, qui se mariera à treize ans, en 1658, à Louis Pinard. Elle n'avait que onze ans et neuf mois le jour de la signature de son contrat de mariage! Madeleine n'y assistera d'ailleurs pas. Ces cérémonies sont souvent l'occasion de réjouissances pour la famille et de mondanités pour les invités. Ce n'est plus son genre. On danse, même s'il y a plus d'hommes que de femmes, ce qui provoque des situations cocasses. À un mariage cinq soldats dansent un ballet. Ils recommenceront à une sauterie au magasin de la Communauté des Habitants dans la basse ville. Madeleine ne «sort» que dans des circonstances bien précises pour conduire les séminaristes aux processions publiques, ou rendre service à quelqu'un.

Le 27 septembre 1646 à Québec, elle est marraine de Madeleine Marsolet. Sa présence à ce baptême est curieuse. La réputation de Marsolet n'est pas excellente. Marchand de fourrures et ancien coureur des bois, il se livrerait à des transactions critiquées. Par ailleurs, sa forte voix clame partout les abus des responsables de la Communauté des Habitants. Selon lui, Noël Juchereau «vit trop haut et fait trop bonne chère». Madame Marsolet, elle, profite de la cérémonie du pain bénit du Nouvel An pour se faire valoir. L'aînée des cinq filles Marsolet, pourtant élève des ursulines, aurait tendance à danser un peu trop. On l'a vue en compagnie de soldats au magasin de la Communauté des Habitants, ce qui est fort mal commenté dans le contexte de l'époque. Cette famille aurait pourtant intérêt à rester discrète. Dans sa jeunesse, le père avait trahi Champlain pendant l'épisode des Kirke de 1629 à 1632.

Pourquoi donc Madeleine vient-elle honorer de sa présence un tel personnage? Elle pourrait aligner son comportement sur celui des principaux habitants. Mais elle a le sens de la justice. Les Marsolet ne sont pas seuls à prêter le flanc à la critique. Un fils Legardeur, le fils Giffard et deux fils Juchereau, dont les pères sont directeurs de la société des Habitants, sont traités de fripons qui ont fait «mille pièces» (vilains tours), pire encore peut-être que les Marsolet. D'ailleurs Madeleine n'est pas seule à ce baptême. Le père Vimont officie lui-même et le parrain est Charles de Saint-Étienne de La Tour, un homme de haut rang, qui, lui aussi, veut faire un geste en faveur de cette famille sans doute injustement décriée.

*
* *

Charles de Saint-Étienne de La Tour, gouverneur d'Acadie réfugié à Québec, collectionne les aventures extraordinaires et, comme Madeleine, les filleuls. Ayant épousé une Amérindienne micmac en 1626, il s'est trouvé être le père de la première enfant métisse connue; emmenée en France avec sa sœur, par Razilly, la jeune fille a été élevée par les ursulines de Tours, où Madeleine a pu la rencontrer en 1639 (voir chapitre 11). En 1646, La Tour est veuf une nouvelle fois. Nul doute qu'il ait fait un brin de cour à Madeleine, sans succès. Il épousera une veuve en 1653.

MADELEINE DE LA PELTRIE

*

* *

La paix de 1645 avec les Amérindiens a déclenché la prospérité. La traite, qui n'avait presque rien rapporté en 1643 et 1644, les Iroquois bloquant tous les passages, est florissante. En Huronie, on moissonne le maïs en quantité. Les maladies reculent. La physionomie du pays est «changée et devenue toute belle dans la douceur et la paix», dit la *Relation*. Et comme une bonne chose n'arrive jamais seule, on apprend que la reine Anne d'Autriche vient de donner deux mille livres aux ursulines.

C'est dans cette atmosphère de sérénité que Madeleine et Charlotte prennent la grande décision d'entrer chez les ursulines à titre de religieuses. Notre histoire pourrait s'arrêter ici: «...et elles furent heureuses et eurent beaucoup d'enfants à élever». Ce qui correspond à peu près à l'histoire de Charlotte, qui n'avait accepté, à Tours, de suivre Madeleine que pour entrer ensuite chez les ursulines. Mais Madeleine n'est pas faite pour une vie aussi encadrée, surtout avec le genre de revenus qu'elle doit gérer.

Avant d'entrer au monastère, elle essaie de mettre de l'ordre dans ses affaires. C'est simple en Nouvelle-France, infiniment plus compliqué en France où la vie s'est chargée parfois de la dépouiller avant même qu'elle puisse disposer de son bien pour le donner.

Le 12 octobre 1646, par l'intermédiaire de Paul Chomedey de Maisonneuve, elle vend à Pierre Chevrier — sieur de Fancamp, le riche partenaire de Jérôme Le Royer de la Dauversière dans la fondation de Montréal — différentes propriétés qu'elle avait gardées en Normandie, entre autres, la terre ancestrale de Vaubougon. Cette transaction ne l'empêche pas de continuer à traverser de sérieux embarras financiers. Les procès s'imbriquent les uns dans les autres, formant un maillage complexe qui pourrait faire le bonheur des amateurs d'imbroglios judiciaires.

Les cousins Le Hayer (voir chapitre 1) n'arrêtent pas de la harceler, par la voie des notaires et des tabellions. La belle-famille Gruel ne veut pas payer le douaire, ce bien régulièrement assuré à une veuve, selon le contrat de mariage, par la famille du défunt mari. L'entente avec sa sœur Marguerite est fragile. Les deux sœurs ont entamé un procès avec le mari de leur demi-sœur Madeleine. L'autre demi-sœur, Marie, intente à son tour un procès contre notre Madeleine. N'oublions pas deux autres chicanes, à la cour des comptes de Rouen, contre un seigneur normand et la femme d'un avocat qui ne paient pas leurs dettes. D'un côté, le pauvre Jean de Bernières fait ce qu'il peut pour faire rentrer et acheminer l'argent dû. De l'autre, les Laudier, père et fils, hommes d'affaires de la famille de Chauvigny, favorisent les clients qu'ils rencontrent en France, au détriment de Madeleine, sans oublier de prélever de copieux honoraires.

En Nouvelle-France, Madeleine se dessaisit de la plupart de ses affaires, donne aux jésuites du papier à lettres — rare à l'époque —, un beau chapelet et un bien d'une très grosse valeur symbolique. C'est une chapelle portative (pierre d'autel, missel, nappes, serviettes) et deux linceuls. Enfin, elle promet à Charlotte Barré, donc aux ursulines, une dot confortable.

Après les adieux à Pierre de Puiseaux, qui s'embarque définitivement par la flotte de fin octobre 1646, allégée d'un certain nombre de tracas, elle quitte sa maison, qu'elle loue, et entre solennellement le 21 octobre 1646 au monastère des ursulines de Québec pour en inaugurer le noviciat, avec Charlotte Barré et Catherine Lézeau. Celle-ci, en effet, a quitté Jeanne Mance et l'Hôtel-Dieu de Montréal pour se joindre aux ursulines de Québec. Marie de l'Incarnation accueille le trio à titre de maîtresse des novices.

Les trois postulantes ne feront pas chez les ursulines des carrières équivalentes. Catherine Lézeau, la plus rapide, sans doute la plus jeune, prendra l'habit le 24 février 1647. Le 8 septembre, ce sera le tour de Charlotte Barré, vingt-cinq ans, à qui Madeleine offre trois mille livres de dot. Surgit alors un nouveau conflit entre Madeleine et Marie, au sujet des modalités de versement de cette dot.

La guérilla iroquoise a repris en 1647, devient une vraie guerre, qui va durer jusqu'en 1653, et sera suivie d'une paix de sept ans. En attendant cette inimaginable accalmie, la colonie est attaquée de partout. On se demande s'il ne faudra pas revenir vers la mère patrie. La donatrice veut s'assurer que la dot continuera à être versée en cas de repli en France de Charlotte, quel que soit le monastère qui l'héberge. La maîtresse des novices préférerait une clause protégeant le monastère de Québec et sa survie autonome en cas de retour. Mais la donatrice de quarante-quatre ans est novice, sous la direction de la maîtresse. Que devient le vœu d'obéissance?

«Il fut jugé pour de bonnes raisons que Madame notre fondatrice ne se ferait pas religieuse, concluent les Annales des ursulines; elle se résolut pourtant de demeurer toute sa vie dans la maison en habit séculier gardant les règles et vivant en religieuse...»

En 1645, Hélène Boullé, veuve de Samuel de Champlain, était entrée à quarante-sept ans chez les ursulines de Paris. Son noviciat posa aussi des problèmes et il fut décidé qu'elle irait, avec son argent, fonder un monastère d'ursulines à Meaux, où elle mourra en 1654.

Ainsi Madeleine entre au couvent, sans devenir religieuse. Avantage de cet arrangement: elle peut aller et venir à sa guise, en sortir, si elle le veut, ce qu'elle ne fait guère — sauf pour les cérémonies à la paroisse ou à l'Hôtel-Dieu — et s'habiller, elle si sensible au froid, plus chaudement que les sœurs. À partir de ce moment, sa vie se confond, à peu de choses près, avec celle du monastère des ursulines. Sa différence de statut passera d'ailleurs tout à fait inaperçue des recenseurs en 1666 puis en 1667.

*
* *

Mais ce «peu de choses» est loin d'être insignifiant. Madeleine, non soumise au vœu d'obéissance, peut agir comme elle l'entend. Au fur et à mesure de l'arrivée des immigrants, elle se sent de plus en plus solidaire des colons. Elle dépanne de nombreuses familles, qui baignent dans la pauvreté, au moins pendant les premières années après l'arrivée. Elle paye la pension chez les ursulines de bien des pauvres filles. Le fait est que ses nombreuses filleules deviennent une à une pensionnaires chez les ursulines, à son gré et à ses frais. Ce qui n'est pas sans créer quelques problèmes avec certaines religieuses désireuses de gérer directement cet argent.

Pendant dix-huit ans — est-ce entre 1647 et 1665? ou entre 1653 et 1671? — Madeleine gère la lingerie du monastère où elle donne plus volontiers qu'on ne lui demande, «de si bonne grâce, et avec tant de bonté, qu'elle faisait mille excuses, si les choses n'étaient pas si commodes qu'elle l'eût bien souhaité», écriront les jésuites.

Sans vergogne, elle prend plaisir à laver la vaisselle, les marmites et les pots, à balayer la maison ou assister les malades dans les services les plus désagréables. Ces malades sont souvent de petites amérindiennes. Les unes guérissent, d'autres, pas. Madeleine leur donne alors des commissions pour les anges, ceux des religieuses et ceux des Amérindiens. Elle n'en n'oublie pas pour autant les habitants de la colonie. Au fil des années, les registres d'état civil signalent sa présence dans la communauté québécoise.

En 1649, elle est marraine d'Ursule Prévost, fille d'une Algonquine, Manit8abe8ch (Manitouitabeouitch) dite Marie-Olivier, adoptée par des colons, élevée chez les ursulines, épouse en 1644 de Martin Prévost, dit Provost, habitant de Beauport, mère de neuf enfants. Ursule mourra à onze ans et Manit8abe8ch en 1665.

La fin de l'année 1650 est très chargée. Le 15 octobre, Madeleine fait don de sa maison à la communauté des ursulines, dans le cadre d'un nouveau contrat de donation où l'on envisage l'éventualité d'un retour en France. À ce moment, elle se range à l'avis de Marie de l'Incarnation sur la nécessité, en cas de repli, d'y établir une maison où les ursulines de Québec seraient rassemblées et prêtes à repartir. Ses finances, bien gérées par Jean de Bernières, lui permettent d'augmenter la fondation de neuf cents à mille cinq cents livres. Ajouté aux autres revenus du monastère, cela donne presque trois mille livres chaque année. La construction est enfin terminée. Les ursulines pourraient quasiment boucler leur budget. Surviennent deux catastrophes.

Sur les bords du lac Huron, les Ouendats sont vaincus et anéantis par les Iroquois. Plusieurs jésuites sont torturés à mort, dont le père Brébeuf. Ce qui reste de la nation ouendat est dispersé. Après un voyage épuisant, les survivants qui le veulent et le peuvent s'installent à Québec, où les habitants les nourrissent selon leurs moyens. «Les ursulines pareillement avec leur bonne fondatrice, madame de La Peltrie, écrit le père Ragueneau dans la *Relation*, ... se chargèrent incontinent d'une famille très nombreuse, la première qui dans le pays huron ait embrassé la foi.» Elles ouvrent le séminaire, pourtant rempli, à un grand nombre de petites ouendats, et leurs classes à «quantité d'externes» de la même nation. Les cours ont lieu en langue ouendat et, bien entendu, toutes les jeunes filles sont nourries au monastère. On s'arrange même pour qu'il y ait des restes à emporter aux parents.

Pour ajouter à cette situation déjà difficile, le monastère des ursulines est la proie des flammes peu après Noël. L'incendie éclate en pleine nuit. Tout le monde doit fuir, pieds nus dans la neige. Madeleine, en simple tunique (vieille et tout usée constatent les spectateurs), y perd tous ses vêtements et ses meubles — sauf ce qui est resté dans sa maison. Des voisins lui donnent une paire de chaussures. Puis elle va se faire habiller avec les sœurs, guère plus vêtues, par leurs amies les augustines de l'Hôtel-Dieu qui les hébergent quelque temps. Les pensionnaires sont renvoyées chez leurs parents. Grâce au sang-froid de chacune, on ne déplore pas de perte de vie humaine. Même celles qui ont pris froid sont guéries, mais tout est ruiné. Les efforts de tant d'années sont partis en fumée.

Madeleine, transformée en sœur augustine, comme les ursulines, se trouve, à l'Hôtel-Dieu, en pays de connaissance, car elle y venait souvent. Quant aux augustines, elles coupent encore en deux, pour les ursulines, les portions qu'elles partageaient déjà, elles aussi, avec les Ouendats.

De tous côtés, on vient voir les sinistrées, on exprime sa sympathie, on donne même plus que ce qu'on peut. Les plus belles condoléances viennent des Ouendats «cabanés» autour de l'hôpital. Eux aussi ont tout perdu. Il ne leur reste comme seule richesse que deux colliers de porcelaine. Un beau matin, leur chef, Taiearonk, arrive dans la grande salle de l'Hôtel-Dieu et dit aux ursulines, devant les augustines et le père Ragueneau qui a tout noté et écrit dans la *Relation* de 1651:

Vous voyez, saintes filles, de pauvres cadavres, les restes d'une nation qui a été florissante et qui n'est plus. Au pays des Ouendats nous avons été dévorés et rongés jusqu'aux os par la guerre et par la famine. Ces cadavres ne se tiennent debout que parce que vous les soutenez... Hélas, ce funeste accident... fait ressouvenir de l'incendie universel de toutes nos maisons, de toutes nos bourgades et de toute notre patrie! Faut-il donc que le feu nous suive ainsi partout?... Pleurons nos misères qui, de particulières, sont devenues communes avec ces innocentes filles... Vous voilà sans patrie, sans maison, sans provisions et sans secours, sinon du ciel que jamais vous ne perdez de vue. Nous sommes venus ici dans le dessein de vous consoler... Si nous avions affaire à des personnes semblables à nous, la coutume de notre pays eût été de vous faire un présent pour essuyer vos larmes et un autre pour affermir votre courage. Mais nous avons bien vu que votre courage n'a pas été abattu sous les ruines de cette maison et pas un de nous n'a même vu une demi-larme sur vos yeux pour pleurer sur vous-mêmes à la vue de cette infortune. Vos cœurs ne s'attristent pas dans la perte des biens de la terre... Nous ne craignons qu'une chose, saintes filles, et ce serait un malheur pour nous: ... que la nouvelle de l'accident qui vous est arrivé étant portée en France ne soit sensible à vos parents plus qu'à vous-mêmes; nous craignons qu'ils ne vous rappellent et que vous ne soyez attendries de leurs larmes... Ainsi nous serons en danger de vous perdre et de perdre, en vos personnes, le secours que nous avions espéré pour l'instruction de nos filles... Courage, saintes filles, ne vous laissez pas vaincre par l'amour de vos parents... Pour affermir vos résolutions, voici un présent de douze cents grains de porcelaine, qui enfoncera si bien vos pieds dans la terre de ce pays, qu'aucun amour de vos parents ou de votre patrie ne puisse les en retirer.

AU COUVENT, MAIS PAS RELIGIEUSE

Le second présent que nous vous prions d'agréer, c'est un collier tout semblable... pour jeter de nouveau les fondements d'un édifice... où seront vos classes dans lesquelles vous puissiez instruire nos petites filles...

C'est ainsi que, pour garder les ursulines, les Ouendats se dépouillèrent de tout ce qui leur restait.

De leur côté, le gouverneur et les principaux habitants prennent les dispositions nécessaires pour faire reconstruire d'urgence un nouveau monastère. Marie de l'Incarnation repart à zéro. Grâce à l'aide des colons — les uns prêtent ou donnent de l'argent, d'autres des matériaux ou du temps de travail bénévole — Madeleine peut poser la première pierre de ce nouveau monastère dès le 19 mai 1651.

Entre temps, elle a pu récupérer sa petite maison et s'y est entassée avec déjà douze ursulines et quelques pensionnaires. C'est un retour à la case départ. On réaménage des lits superposés. Et l'on attend le printemps dans la promiscuité la plus harassante qui soit.

Dès les premiers beaux jours, le voisinage de la maison de Madeleine doit offrir à qui passe par là un coup d'œil plutôt pittoresque. Sous un noyer, Marguerite de Saint-Athanase fait la classe aux Françaises. La maison est entourée de cabanes d'écorce où logent les Amérindiennes et, parfois, leurs mamans. Sous un vieux frêne, Marie de l'Incarnation s'occupe d'elles. Un peu plus loin, c'est le chantier de construction et, bien entendu, elle est constamment interrompue pour aller voir sur les échafaudages où en sont les travaux.

Au printemps 1652, Marie de Saint-Joseph, tuberculeuse, s'éteint. Ses funérailles inaugurent tristement le nouveau monastère où tout le monde s'installe peu à peu, bien avant que tout soit terminé. La maison de Madeleine est alors transformée en salles de classe.

Ces travaux coûtent une fortune: tout l'argent ramassé en catastrophe dans la colonie, celui demandé par Marie, en France. On n'a rien pour payer la nourriture. L'aumônier du monastère se met en quatre, aidé par les «hommes» des religieuses pour défricher, cultiver et produire de nouvelles denrées. Marie met au point d'incroyables tractations. Ainsi, les ursulines obtiennent une place pour la pêche aux anguilles en bas du Cap au diamant moyennant une barrique d'anguilles fraîches ou une chasuble blanche, en reconnaissance annuelle aux marguilliers de la paroisse. Elles en offriront une «belle et bien conditionnée» écrira le père Lalemant, le 12 novembre 1654; sans ajouter de quel fil la lingère (Madeleine?) a brodé la chasuble, ni qui a pêché les anguilles pour le compte des religieuses.

De fil en anguille, nous voici en 1653; avec un troisième désaccord — après ceux sur l'emplacement du monastère et les modalités de versement de la dot de Charlotte — entre Marie de l'Incarnation et Madeleine. Marie voudrait tout l'argent de Madeleine pour terminer la reconstruction. Madeleine tient mordicus à garder des fonds pour l'édification d'une véritable église. Elle n'oublie pas le vœu à saint Joseph formulé lors de sa maladie de 1636. Comme d'habitude, Marie trouvera ailleurs ce dont elle a besoin. D'ailleurs, l'argent de Madeleine n'aurait pas suffi.

Madeleine, en constante liaison avec les habitants de Québec, est à nouveau marraine, d'une petite Marie-Madeleine Bacon. La petite deviendra religieuse à l'Hôtel-Dieu, puis à l'Hôpital général de Québec. Le parrain est Denis-Joseph Ruette d'Auteuil, bien connu. Sa femme avait failli, en 1651, être enlevée par une jeune homme de vingt-deux ans, et l'épisode avait défrayé la chronique.

En 1654, Madeleine est encore marraine, du fils d'un marchand de Montréal, Jean-François Charron qui, hélas disparaîtra en mer en 1719. Ruette d'Auteuil est parrain. Elle n'assiste pas au baptême et se fait remplacer par l'aumônier des ursulines.

Cette année 1654 vaut à la postérité une des rares lettres écrites par Madeleine, pour demander de l'argent à son agent Nicolas Laudier: «tâchez à me faire le plus que vous pourrez d'argent de ceux qui m'en doivent, tant de mon douaire que de mon bien...». Nul doute que Nicolas «fait le plus» qu'il peut d'argent sous ce prétexte. Mais Madeleine n'en voit certes pas toute la couleur.

C'est finalement en 1656 que Marie de l'Incarnation dirige la construction de l'église voulue par Madeleine, qui coûte plus cher que prévu. On construit petit à petit. Le sanctuaire ne sera consacré qu'en 1667.

On pourrait croire que les conflits entre Marie et Madeleine avaient créé une distance entre elles. Pas du tout: si l'on en croit le fils de Marie, elles n'ont «qu'un cœur et qu'une âme» et vivent en «grande confiance». Madeleine, qui écrit de temps en temps à dom Claude Martin — fils de Marie —, lui confesse que sa mère dit «des choses si merveilleuses», qu'elle parle «si hautement de Dieu», tout en adaptant ses discours à la portée de ceux qui l'écoutent, qu'elle en est «toute ravie» et s'estime «plus heureuse et plus contente d'être proche d'une si sainte supérieure et de recevoir les trésors de la sagesse qui [sortent] de sa bouche que si on lui eût donné tous les royaumes de la terre». Mais ce qu'elle apprécie le plus, c'est sa «paix et tranquillité de cœur inébranlable... que les grandes affaires et les tracas ne lui ôtent point...», sans oublier la «douceur» et la «bienveillance» pour «ceux qui lui font de la peine et du déplaisir». Ces mots prouvent par eux-mêmes l'admiration de Madeleine pour Marie.

Voici qu'en 1657 les pionniers de 1634 sont déjà grand-parents. Madeleine est marraine d'une autre petite Marie-Madeleine, petite-fille de Jean Guyon, le tailleur de pierre de

Mortagne et Tourouvre. Le parrain est François Bélanger, un oncle du bébé, mari de Marie Guyon, sœur du père, Claude Guyon. Nul doute que ce baptême a donné lieu à des retrouvailles percheronnes.

En 1658, la présence de Madeleine à un baptême où se retrouvent des natifs du sud-ouest de la France prouve l'éclectisme de ses relations en Nouvelle-France. À ce baptême, on devait parler avec l'accent gascon du roi Henri IV. Le père vient de Montfort-en-Chalosse, près de Dax. La maman est parisienne. Le parrain, Jean Madry, un médecin de Limoux, près des Pyrénées orientales, en Nouvelle-France depuis peu. Le bébé, Marie-Ursule Gariépy, deviendra compagne de Marguerite Bourgeoys, arrivée comme gouvernante de Maisonneuve à Montréal, et qui ouvre une école en cette année 1658.

Le mariage qui a précédé ce baptême a dû faire l'envie de beaucoup de célibataires à la recherche désespérée d'une épouse. Comment arriver à faire passer en Nouvelle-France plus de filles à marier? La plupart des artisans et ouvriers venus pour des contrats de trois ans sont obligés de repartir, faute de pouvoir trouver avec qui partager leur vie au pays neuf.

En 1659, Jeanne Mance, accompagnée de Marguerite Bourgeoys, vient visiter les ursulines. Elles s'installent quelques jours avec — enfin — des infirmières pour l'hôpital montréalais: les religieuses de Saint-Joseph de La Flèche. Elles conduisent aussi des filles à marier. Ce qui a valu à Jeanne et Marguerite une accusation dont elles se seraient passé volontiers. On leur reproche tout simplement, à La Flèche et à La Rochelle, de pratiquer la traite des blanches!

La même année 1659 voit arriver le premier évêque de Québec: François de Laval. Les sœurs déménagent en hâte leurs classes de la maison de Madeleine au monastère. Voici cette demeure promue provisoirement au rang de palais épiscopal.

Toutefois Monseigneur craint les distractions. Il fait construire une clôture pour ne voir ni religieuses, ni pensionnaires. Il est accompagné d'un jeune prêtre, Henri de Bernières, neveu de Jean dont le nouvel évêque était un ami. Les deux hommes apportent une triste nouvelle: la mort, cette année-là, du «mari» de Madeleine. Nulle trace ne subsiste des sentiments de la «veuve». Les jésuites, désormais, s'occuperont de ses affaires.

Les années passent. Les filleules grandissent, elles font leurs études chez les ursulines, se marient. Madeleine est témoin. Certaines entrent en religion, les unes chez les ursulines, les autres chez les augustines, ou à Ville-Marie, chez les sœurs de l'Hôtel-Dieu de Jeanne Mance, qui ont fait grande impression sur les pensionnaires des ursulines. La petite Marie Morin, fille et petite-fille de colons, décide à l'âge de treize ans d'aller les rejoindre «pour mourir martyr de la foi», dit-elle. Elle s'éteindra dans son lit, à quatre-vingt-deux ans, après avoir recueilli les confidences de Jeanne Mance et écrit les annales de l'Hôtel-Dieu de Montréal qui passeront à la postérité. Marie Morin sera la première élève des ursulines à devenir écrivaine.

1663 — Branle-bas dans la colonie. C'est la fin de la Compagnie des Cent-Associés et la mise en place des structures d'un vrai pays, avec intendance et armée, le tout grâce aux démarches de Pierre Boucher, arrivé en 1635 à douze ans, avec les familles de Mortagne au Perche.

Le fils de Gaspard n'a pas perdu son temps. Dès son arrivée, il accompagne les jésuites chez les Ouendats, en profite pour recevoir une formation digne des collèges, sans compter la connaissance du pays et celle des langues amérindiennes. Il devient écuyer du gouverneur des Trois-Rivières, délégué des habitants auprès de Louis XIV, puis seigneur de Boucherville. Après deux mariages, le premier avec une amérindienne élève des ursulines, il est à la tête d'une très nombreuse famille. Il mourra presque centenaire, à la fin d'une vie qui aurait pu en contenir plusieurs.

Le temps passe. Les structures changent. L'armée — le fameux régiment de Carignan — repousse les Iroquois. Une paix est signée. Madeleine continue à être marraine. En 1665, c'est le baptême de Marie-Ursule Philippeaux. Le père, lorrain, maître armurier et serrurier, mourra neuf mois après le baptême où la marraine, absente, se fait remplacer par Marie-Angélique Poisson, élève des ursulines et future ursuline. Cette jeune fille est issue d'une famille connue depuis longtemps par Madeleine. Le père, tué par les Iroquois en 1652, était un arquebusier de Mortagne, filleul de Jean Guyon.

Une époque se termine. L'intendant, Jean Talon, et le gouverneur, monsieur de Courcelles, se distraient en courtisant, l'un et l'autre, madame d'Ailleboust, devenue veuve et qui ne veut pas se remarier. Du haut en bas de la pyramide sociale, la colonie manque terriblement de femmes, d'autant plus qu'avec la paix, le régiment de Carignan est démobilisé. Plus de la moitié retourne en France. Quatre cents hommes cherchent femme pour se fixer.

20

L'ACCUEIL DES FILLES DU ROI

Ce chapitre, comme les précédents, rassemble des informations sur Madeleine de La Peltrie livrées par la *Correspondance* de Marie de l'Incarnation et les *Relations* des jésuites. Nous y intégrons de toutes nouvelles précisions[42], qui, avec une analyse et des explications très développées, lèvent le voile sur un sujet traditionnel d'allure croustillante. C'est, en fait, un phénomène démographique majeur dans l'histoire du Québec.

Bien sûr, nous n'avons pas la preuve que les vingt jeunes femmes dont il est question ici sont effectivement les locataires de la maison de Madeleine. Mais elles ont réellement existé et ont signé, au moins, un contrat de mariage à Québec en 1670. Notre mise en scène a donc toutes les conditions de la vraisemblance et les détails biographiques sont parfaitement exacts.

---

42. LANDRY (1992).

MADELEINE DE LA PELTRIE

*

*   *

En 1670, la première flotte, comme d'habitude, arrive au début de l'été et provoque le branle-bas attendu: courrier, paquets, voyageurs, immigrants, dont un bon contingent de filles à marier. Madeleine, qui a maintenant soixante-sept ans, ne se déplace plus sur le quai, ni encore moins à Tadoussac, pour aller au devant des navires. Ce qui ne l'empêche pas de recevoir sa correspondance avec grand intérêt. Justement, voici une belle surprise: une enveloppe porte l'écriture du père Poncet. Cet ami de longue date avait quitté Québec en 1657. Voici qu'il envisage de partir aux Antilles et lui demande un récit de sa vie. Le fieffé d'audacieux! Elle a horreur d'écrire. Il devrait le savoir. N'empêche que la demande la surprend agréablement et provoque chez elle une réflexion sur l'invraisemblable chemin parcouru, d'Alençon à Québec.

Le 31 juillet (1670), une nouvelle flotte accoste, avec d'autres filles à marier. Cent vingt filles auront débarqué cet été-là. C'est la huitième année que Louis XIV offre traversée et dot à des orphelines parisiennes ou normandes pour qu'elles deviennent les épouses des jeunes célibataires, les gardent au pays, mettent au monde des enfants et deviennent ainsi des pionnières de la Nouvelle-France.

Leur arrivée sur le port provoque un embouteillage extraordinaire. Personne ne veut rater ce débarquement. Les hommes, émoustillés, composent un spectacle incroyable. Sur le quai d'accostage, la vallée laurentienne est représentée de bout en bout. Même des gens importants sont venus tout exprès de Montréal ou des Trois-Rivières, sans parler des impatients prétendants.

Dès le 2 août, une vingtaine de jeunes filles sont déjà parties à Montréal où Marguerite Bourgeoys les attend; trois ou quatre s'en sont allées aux Trois-Rivières. Il en reste une centaine à Québec. Ce n'est pas rien de trouver à les héberger. Les unes demeurent près du port, chez Anne Gasnier, la veuve (en secondes noces) bien connue de Jean Bourdon. Les autres logent chez les augustines de l'Hôtel-Dieu, ou au monastère des ursulines, ou à l'extrémité de leur jardin, dans la maison que Madeleine n'habite plus depuis sa fausse entrée en religion. Les ursulines y organisent, entre débarquement et mariage, un stage d'initiation à la vie en Nouvelle-France qui plonge le monastère tout entier dans une agitation un peu confuse. Ça ne manque pas de piquant. Aucune des dernières venues n'a le moindre désir de comprendre la vie religieuse. Ceci provoque entre les sœurs et elles une certaine fermeture.

Qui sait si, après la journée de travail, la non conformiste Madeleine ne va pas leur rendre visite? Pourquoi ne profiterait-elle pas du temps libre d'après-souper pour faire un tour vers son ancien domicile? De loin, elle entendrait chanter: C'est la veillée! Finie la journée! Les conseils au feu et mère Saint-André au milieu!

Pauvre mère Saint-André! Arrivée toute seule de France en 1657, elle est plus à l'aise avec les très jeunes élèves. Comme les autres animatrices de ce stage pour immigrantes un peu spéciales, elle déploie tout ce qu'elle peut d'adresse et de pédagogie pour livrer en quelques semaines un programme touffu: comment tenir maison — mieux vaudrait dire cabane; cultiver un jardin; conserver les aliments; fabriquer son savon; se préserver du froid ou des insectes, selon la saison; élever des poules et un cochon; le tout hors d'atteinte des ratons laveurs, loups, mouffettes, renards et autres fouines. C'est d'autant plus nécessaire que la plupart des orphelines viennent de la ville et n'ont aucune idée de la manière de subsister à la campagne. Sans compter qu'il n'est pas évident de s'occuper d'un foyer individuel quand on a vécu en institution. Chaque année, les pauvres font quelques dégâts à la maison de Madeleine. Elles ont même failli y mettre le feu! Sans doute, après une journée de formation, ont-elles besoin de se défouler et sont d'autant plus excitées que les prétendants les attendent depuis longtemps. Ils les ont lorgnées du quai avant même leur premier pas à terre. Les plus avisés ont déjà construit une maison où il ne manque plus que l'épouse tant désirée.

Tout en marchant vers sa maison, laissant le courrier à un hypothétique lendemain, Madeleine se souvient. À l'idée de voir s'évanouir son toit en fumée, elle mesure combien il lui est cher. Il ne l'a abritée que pendant deux ans environ, mais c'est celui qu'elle a le plus aimé, même si elle l'a souvent prêté et finalement donné aux ursulines. Cette construction de l'été 1644 fut une bonne idée de Marie de l'Incarnation, à trois cents pieds du monastère — ni trop loin, ni trop près —, avec une grande salle, un puits, une cheminée, un bel escalier intérieur qui rappelle celui de la Peltrie, à Bivilliers.

[Cette maison est l'actuel musée des ursulines de Québec, rue Donnacona, le seul endroit en Amérique du Nord où l'on a gardé officiellement les traces de Madeleine. Le foyer, le puits, les ustensiles de cuisine y sont, comme si l'on venait tout juste de quitter la salle. Reconstruite en 1836, entourée de bâtiments datant de 1902, on en retrouve un peu l'atmosphère. Tout est reconstitué. Les meubles sont quasiment restés en place, de même que la salle de classe où les ursulines ont longtemps enseigné. Déjà Marie de l'Incarnation y réunissait les anciennes élèves le dimanche. Elle y avait inventé l'éducation permanente.]

Ce soir d'été de 1670, l'animation n'y manque pas. Après la grande traversée de l'Atlantique et pendant leur découverte du

Nouveau Monde... et des hommes, les instructions des religieuses, aussi utiles soient-elles, ont ressemblé, pour ces jeunes filles, à des brimades. Un brouhaha s'échappe, consécutif à la comptine adaptée pour mère Saint-André. Papotages et potins reprennent avec ardeur. Comme chaque année, tout défile: le profil des gars rencontrés ou entrevus, les bouts d'histoires qui courent dans la colonie. S'en détachent des personnalités hautes en couleurs, arrivées trente ans plus tôt, lorsque Québec n'était qu'une oasis parsemée de cabanes en bois nichées à l'orée de la forêt. Les quelques simples maisons de pierre de 1670, entourées de champs et de potagers, paraissent très confortables. Surtout celle qui les accueille, dont elles voudraient bien connaître la propriétaire. Justement voici Madeleine. La jeunesse ne se gêne pas pour laisser fuser les commentaires:

— Qui est cette petite vieille?

— Madame de La Peltrie!

Elles en dressent un portrait tout à fait contradictoire! Pour les unes, sa robe noire, simple et reprisée, sa coiffe de veuve et son col de linon blanc, à peine orné d'une très sobre dentelle, font très négligé. Pour d'autres, elle a le port humble et majestueux. En tout cas, son statut de femme noble fait impression. Le silence s'installe dès que Madeleine arrive près du grand foyer de sa petite maison et les observe avec une extrême attention, un sourire engageant aux lèvres.

Sous leur petit bonnet blanc, leur visage, mûri par une dure enfance, encore éprouvé par la longue traversée, arbore l'heureux sourire de qui a réussi une rude épreuve et se sait attendu. Certaines sont très jeunes, quatorze ou quinze ans. Telle autre doit bien dépasser trente.

L'énumération de leurs noms intéressera leurs nombreux descendants. La maison, pleine à craquer, héberge cette année 1670, dans l'ordre où elles se présentent: Anne Talbot, Isabelle

Aupé, Marie Denoyon, Anne Masson, Marguerite Moreau, Marie Navaron, Marie-Madeleine Deschamps, Marie Ducoudray, Marguerite Binaudière, Marguerite Jasselin, Anne Geoffroy, Jeanne Lecoq, Louise Fro, Denise Anthoine, Geneviève Billot, Jeanne Gilles, Madeleine Gobert, Catherine Bruneau, Anne Grimbault, Françoise Zachée, Élisabeth Aubert. Les plus jeunes se sont blotties près des plus âgées.

Anne Talbot, qui s'exprime très bien, du haut de ses dix-sept ans, est mandatée par les autres pour poser la question qui leur tient à cœur:

— Madame, vous qui n'étiez ni religieuse, ni fille à marier, pourquoi êtes-vous venue en ces lointaines contrées?

Anne, Isabelle Aupé, Anne Masson et Marie Denoyon se mettent à filer et à enrouler la laine sur un dévidoir. Elles viennent de Rouen et ont l'habitude de travailler ensemble. Marie Navaron, Jeanne Le Coq et Louise Fro bordent les ourlets de draps en grosse toile. Marguerite Moreau et Jeanne Gilles brodent, tant que la lumière le permettra, les cols de linon qu'elles porteront pour leur mariage. Marie Ducoudray, qui ne tient pas en place, attise le feu. Madeleine Gobert et Catherine Bruneau ravaudent de méchantes jupes, essayant de leur donner un peu d'allure. Élisabeth Aubert part puiser l'eau qu'elle ajoutera au reste de soupe aux légumes qui mijote encore.

Cette année, Madeleine de La Peltrie est tout à fait prête à raconter une vie qui, sur certains points, se rapproche de celle des Filles du roi. Mais pour commencer, elle note une grosse différence: elles ont débarqué ici pour se marier. Elle a pu y venir, parce qu'elle ne l'était plus, à cause du siège de La Rochelle.

La Rochelle, Dieppe: des noms qui font mouche dans l'auditoire. Dans l'un ou l'autre port, toutes se souviennent de leurs dernières minutes dans l'ancien monde, quelques semaines plus tôt. À partir de ce terrain connu, Madeleine déroule un récit de sa vie. La moitié des filles la suit avec passion. L'autre regarde dans la pénombre, par la fenêtre à petits carreaux, le va-et-vient des prétendants. On se fait des signes. Madeleine se souvient de ses dix-huit ans, et ferme d'autant plus les yeux sur ces agitées qu'elles sont ici pour se marier.

Au milieu de la soirée, les estomacs réclament un acompte. Il reste du bouillon. Les bols circulent, on y trempe un morceau de pain. Puis on les ramasse dans le cliquetis sourd de la vaisselle en terre cuite. Le jour est presque tombé. La lumière du foyer interdit tout travail d'aiguille. Près du seuil, on peut apercevoir Charles Davenne, qui travaille chez Jacques Achon, à Beaupré; Jean Jouanne, de Sainte-Famille de l'île d'Orléans; Jean Denis, un tireur de pierre engagé par Charles Legardeur, frère de Pierre; le veuf Pierre Lavoie, chargé de quatre enfants, qui cherche femme depuis trois ans, et François Fleury, dit «Mitron», le boulanger de Saint-Augustin. On cause en groupe. Isabelle Aupé a laissé ses compagnes de Rouen — Anne Talbot, Anne Masson et Marie Denoyon — filer et enrouler la laine. Des duos se constituent. Quelques-uns sortent dans la pénombre.

À la fin de cette première veillée, Madeleine s'en va à son tour, laissant les Filles du roi non encore appariées à la paisible compagnie des petits bruits familiers de la maison: crépitement des braises, chuchotement de la marmite suspendue à la crémaillère, crissement du rouet et roulement saccadé du dévidoir. S'enfonçant dans cette soirée d'été, elle respire l'air aux senteurs d'asclépiade et de framboise. Un grand rire d'homme joyeux perce la pénombre. Reconnaît-elle celui d'Aubin Lambert, un percheron de Tourouvre, habitant la côte de Beaupré, proche du manoir des Giffard?

Encore une fois, la Nouvelle-France va se peupler de nouveaux foyers où de petits enfants apprendront de leur maman le français de Paris ou de Normandie, que parlent ces Filles du roi, mères de la première génération de Canadiens. En onze ans (1663-1673), elles représenteront la moitié des femmes qui auront traversé l'Atlantique pendant les cent cinquante ans du Régime français (1608-1759). À la fin du XXe siècle, elles figureront dans tous les tableaux d'ascendance des Québécois de souche française — comme, d'ailleurs, les Percherons[43].

En attendant, la vie de Madeleine de La Peltrie, que l'on appelle avec révérence «Madame», est devenue un feuilleton que l'héroïne raconte au coin du feu à un groupe de jeunes femmes qui va se rétrécir chaque soir.

Le 3 août 1670, un état des amours peut être dressé, en fonction des absentes: Marie Ducoudray a déjà acquis, malgré ses vingt-sept ans, une réputation de tête folle. Elle se serait amourachée de Jean Jouanne, qui ne lui convient absolument pas, soutient Anne Grimbault. La discrète Madeleine Gobert est partie avec Charles Davenne. On se demande pourquoi; «beaucoup trop bien pour elle» commente Marie Denoyon. Geneviève Billot sort avec Jean Denis, le tireur de pierre.

Les autres filles discutent ferme d'alimentation. Il faut en ce pays, a dit une religieuse, changer ses coutumes du vieux monde et profiter, par exemple, de l'abondant gibier et des nouveaux légumes d'Amérique: haricots, courges, maïs. Plus question de continuer à être dépendant du pain comme lorsqu'on crève de faim à Paris.

Les filles ont du mal à comprendre et Jeanne Gilles ne veut rien savoir. Pour elle, pas de vie sans un solide quignon à chaque repas.

Se gardant diplomatiquement de trancher en faveur des religieuses, Madeleine dévie la conversation sur la difficulté des parents à comprendre leurs enfants. Elle raconte comment son

---

43. Voir CHARBONNEAU (1987) *Naissance d'une population*

père avait décidé de ne plus jamais la revoir si elle continuait à rendre des services jugés déplacés; ou comment son beau-frère avait voulu la faire enlever et enfermer. Ces situations rejoignent au plus haut point l'auditoire. Plusieurs Filles du roi ont été cloîtrées malgré elles à l'Hôtel-Dieu, après la mort d'un de leurs parents. On y reléguait le plus facilement du monde les jeunes femmes dont une famille voulait se débarrasser. Quarante-deux ans de moins, et Madeleine elle-même aurait pu se trouver à la place des Filles du roi. Ce qui établit entre notre vieille dame et ces jeunes femmes une solidarité inattendue.

Du coup, il arrive aux prétendants de venir écouter le récit de la Dame de La Peltrie, qui ne cache pas son émotion le soir où elle voit se détacher, du mur où elle ne l'avait pas repéré, Pierre Lavoie, le veuf aux quatre enfants, tout rajeuni, tenant par la main Isabelle Aupé.

Sa maison est cernée d'hommes! Pourquoi pas? Jamais elle n'aurait imaginé que cet endroit, après avoir abrité un évêque, deviendrait, en tout bien tout honneur, un lieu de rendez-vous galant. Éternel et déroutant jeu des rencontres qui tisse les histoires et bâtit la société.

En cette Nouvelle-France, le temps s'accélère prodigieusement pendant l'été. Flottes de France et flottilles amérindiennes apportent des nouvelles des quatre coins de l'horizon. À Québec, les marchés se concluent à grande allure. Chez Madeleine, les amours se métamorphosent. Le 6 août 1670, la papillonnante Marie Ducoudray a déjà rompu avec Jean Jouanne et s'est affichée avec plusieurs autres. C'est Robert Galien que l'on a vu assidûment à ses côtés aux dernières heures. Jeanne Gilles a disparu. On apprend bien vite qu'elle est sortie, comme les jours précédents, avec «Mitron», qui lui a refilé un bon pain qu'elle s'est hâtée de partager avec ses amies, au nez et à la barbe d'une sœur qui n'y pouvait mais.

Madeleine en vient à raconter ses procès et le revirement des bonnes âmes à son sujet lorsque celui de Rouen fut gagné; les jeunes femmes sont scandalisées, mais pas étonnées. Elles ont vécu des histoires semblables. «Les Tartuffe!» s'exclame, du haut de ses quinze ans, la petite Françoise Zachée qui a puisé, du temps qu'elle n'était pas orpheline, une certaine culture. «Qui est Tartuffe?» interrogent les autres. C'est ainsi que Madeleine apprend l'existence de ce faux dévot mis en scène par Molière, l'hiver précédent à Paris.

Le 16 août 1670, les nouvelles se bousculent. Grosse dispute entre la modeste Marie-Madeleine Gobert, de Paris, et Marie Denoyon, dont le père était vinaigrier, artisan hors du besoin, à Elbeuf. Ce qui explique ses prétentions: elle estime que le beau Charles Davenne est pour elle et non pour la pauvre cendrillon. De toutes manières, elles ont l'une et l'autre la même dot d'orpheline: deux cent cinquante livres.

D'autres discutent en effeuillant la marguerite. J'me marie tout de suite ou j'attends un peu? Les gars sont-ils acceptables ou trop différents? De leur orphelinat parisien, elles ne s'attendaient guère à rencontrer ces baroudeurs du régiment de Carignan ou autres intrépides coureurs des bois, peu exercés aux délicatesses. Quant à ceux qui sont venus comme domestiques, on ne peut pas dire qu'ils soient toujours très raffinés. Les plus jeunes, effarouchées, ou les plus âgées, parfois veuves et déjà échaudées par l'expérience, pèsent le pour et le contre. Toutes, ou presque, finiront par conclure une alliance, parfois étrange. En 1669, une certaine Marguerite Charpentier, cinquante-neuf ans — l'âge moyen des Filles du roi est de vingt-quatre ans —, épousait Toussaint Lucas, dit Lagarde, soldat du régiment du Carignan âgé de vingt-trois ans.

Quoi qu'il en soit, la majorité des filles est prête à faire des concessions. Tant pis si le gars a dix ans de plus ou trois de moins, s'il n'est pas de la même province et parle un autre patois.

Un beau jour, certaines piègent Madeleine en la questionnant sur les choses de l'amour. «Faut-il donner aux gars tout ce qu'ils demandent, puisqu'on va se marier?»

Gageons que la Dame de La Peltrie se garde de répondre en noir et blanc, bien ou mal. Dans un milieu aussi bouleversé que celui-ci, rien ne se passe selon des usages bien définis. La voici qui évoque la naïveté de la colombe alliée à la prudence du serpent; le respect du côté mystérieux de chaque personne. Sans oublier de mettre en garde contre les vents de la curiosité, ni de conseiller de ne pas tout dévoiler d'un coup, de laisser au temps et à la tendresse l'occasion de se révéler au bon moment. On peut tout gâcher en brûlant les étapes. De fait, les filles n'ont pas bien longtemps à attendre. Et Madeleine de méditer à haute voix: temporisez le plus possible, gardez le mystère. Vous n'en serez que plus désirée. Profitez du moment de l'attente pour traiter les problèmes qui ne se règlent qu'avant.

Le 20 août 1670, survient un gros orage. Le temps est frais sur Québec. Les insectes ont quasiment disparu. Tout le monde est enchanté. Sauf les filles, frileusement massées autour du feu. Peu importe, les grandes nouvelles éclipsent les dernières aventures. Quatre mariages sont prévus: 24 août, à Saint-Augustin, Jeanne Gilles avec — ce n'est une surprise pour personne — François Fleury, dit Mitron, le boulanger. Le même jour, à Cap Rouge, Geneviève Billot et le tireur de pierres Jean Denis. Le 25, à Saint-Augustin, Isabelle Aupé et le veuf Pierre Lavoie, dix-huit ans de plus qu'elle. Bonne chance! elle aura déjà quatre enfants à élever. Enfin, le 26, à Québec, Marguerite Moreau et André Morin, habitant de Beauport. Chacune met activement la dernière main à son trousseau. Toutefois les futures épouses déchantent: Monsieur l'intendant, Jean Talon, a fait savoir que les dots ne seraient pas versées en argent comptant, mais en marchandises. Même les dots des jeunes religieuses canadiennes sont payées en nature. On y trouve des objets bien utiles pour la maison. Dans celle de la petite Lauson, par exemple, il y a eu un bon poêle à bois.

Le 25 août 1670 est un soir de grande agitation. On a appris que tel notaire avait carrément soufflé une Fille du roi, le lendemain du jour où il avait fait sa connaissance. La jeune personne était venue, avec un premier promis, faire constater des fiançailles. Le notaire la repère, décide que cette fille-là est pour lui, et réussit à la désengager du «futur» précédent. Les unes pensent que c'est drôlement exagéré de planter là un excellent garçon pour un freluquet de notaire qui n'a de bon que sa richesse et surtout celle qu'on lui suppose pour l'avenir. Les autres estiment qu'elle a bien fait. Soit parce qu'il vaut mieux rompre des fiançailles que rater son mariage, soit parce qu'un petit bourgeois riche vaudrait mieux qu'un grand cultivateur pauvre.

Fin août, l'arrivée des Filles du roi date presque d'un mois. Dans un coin, Marie-Madeleine Gobert pleure son contrat annulé avec Charles Davenne. Les autres parlent épousailles, cérémonies, festivités. Il y a eu déjà quatre mariages et plusieurs annulations de contrats. Marie Ducoudray bat les records: pour la deuxième fois, elle rompt le sien. Ce matin, la voici chez le notaire pour signer avec Robert Galien; ce soir, elle y retourne pour annuler avec le même. Pas facile de trancher entre deux prétendants. L'une se souvient d'un conseil de Marie de l'Incarnation: choisir quelqu'un qui a déjà construit sa maison. Hélas, les plus avisés ne sont pas forcément les plus séduisants ni les plus sympathiques. Jean Barolleau, habitant de la côte Saint-Michel, à Sillery, court tant qu'il peut, sans arriver à retenir la moindre partenaire.

Les nouvelles venues découvrent souvent un plus grand

terrain d'entente avec des hommes nés en France. Comme elles, ils ont tout quitté, ont affronté la difficile traversée et en sont sortis victorieux. Les récits de naufrages ou de mort en bateau animent bien des propos lors des premières rencontres.

Un des derniers jours d'août 1670, la porte s'ouvre. «Excusez-moi de vous déranger», dit un homme encore jeune, enlevant son bonnet de laine rouge. Élisabeth Aubert se lève et le conduit à Madeleine: «Je vous annonce mes fiançailles avec Aubin Lambert, Madame».

Quelle émotion pour la Dame de La Peltrie, qui s'attache à ces Filles du roi! Cette alliance avec un natif de Tourouvre la réjouit. Elle la sent partie du bon pied. Tandis que d'autres lui causent du souci. Anne Geoffroy se marie ce 1er septembre avec Charles Flibot, de la Sainte-Famille de l'île d'Orléans. Le problème, ce ne sont pas les quarante et un ans du solide Charles. Mais cette petite femme de vingt ans n'a guère de santé. Madeleine aurait préféré la voir attendre un an à Québec avant d'aller hiverner dans une pauvre maison. Quant à Catherine Bruneau, elle épousera un certain Jean Monin, le 3 septembre. Cet habitant est soupçonné de courir les bois, et Madeleine voit mal cette femmelette de quinze ans, seule chez elle, les longues soirées d'hiver. Mais comment faire entendre raison à la jeunesse impatiente devant la vie?

Le 30 août, des explosions de voix jaillissent de tous les coins de la salle. Marie Ducoudray fait, encore une fois, les frais de la conversation. Les filles font un compte précis: le 25 août, elle concluait un contrat de mariage avec Jean Jouanne devant le notaire Romain Becquet. Le 28 au matin, chez le même notaire, la Marie s'engage une seconde fois, pour annuler avant la fin de la même journée. Voici qu'elle a entamé une liaison avec François Grenet. L'épousera? L'épousera pas?

On s'aperçoit, avec le temps, que le mariage rêvé n'est pas

si facile à trouver. La vie n'est pas un conte, ni le prétendant, un prince charmant. Mais les sujets de conversation varient. Le 1er septembre, Madeleine surprend un débat sur les Amérindiens. Il fait frais, la porte est fermée. Les filles échangent leurs points de vue. Les unes prétendent que le pays est dangereux à cause de la présence des Iroquois. D'autres affirment que depuis le passage du régiment de Carignan, il n'y a plus de problème. Excepté l'hiver, l'eau, le feu et les insectes. Justement, c'est Denise Anthoine qui parle. Elle fréquente Laurent Buy, dit Lavergne, de la compagnie de Saint-Ours, du régiment de Carignan et clame:

— De mémoire de mousquetaire, en fait, Lavergne n'en est pas un, il n'a jamais tenu qu'une arquebuse, on ne connaît pas de campagne plus pacifique que celle contre les Iroquois. Agniers et Français se sont jaugés sans combattre. On dit que c'est un modèle du genre. Les Agniers ont été ébranlés par ce qu'ont fait les Français. Ils l'ont signalé à toutes les autres nations iroquoises qui ne demandent qu'à s'allier. Avant l'arrivée du régiment de Carignan, ils traitaient les Français de poules mouillées. Maintenant, ils les respectent.

Quelques jours plus tard, le 5 septembre, on se prépare à dire au revoir à cinq des Filles du roi. Marie-Madeleine Gobert, toute joyeuse, va unir sa destinée à Pierre Grolleau, domestique à l'Hôtel-Dieu. Ils se nourriront d'amour et d'eau fraîche, mais sont heureux comme des princes. Anne Masson va épouser Robert Galien, de Beauport, un peu plus jeune qu'elle. La discrète Jeanne Le Coq, 31 ans, se marie à Guillaume Dubeau, 44 ans, un ancien volontaire chez les jésuites, à Sillery. C'est finalement Marie Denoyon qui convole avec le beau Charles Davenne, et la modeste Louise Fro, 16 ans, avec Julien Meunier, dit Laframboise, journalier à Québec. Les hommes se disputent les dernières filles non encore mariées. Qui aura qui? Stratégies et intrigues se déploient.

L'ACCUEIL DES FILLES DU ROI

La chaleur est de retour. Madeleine arrive, un petit panier couvert d'un linge sous son bras. On s'installe dehors, autour du vieux frêne où Marie de l'Incarnation aime se tenir avec les jeunes Amérindiennes, quand elle en a fini avec novices, visiteurs, fournisseurs ou parents. La place est libre. Marie rédige son interminable courrier avant le départ de la flotte. L'auditoire est nombreux. Aux Françaises, se sont ajoutées des Amérindiennes dont les cabanes jouxtent la maison. Faute d'écouter Marie, qui parle leurs langues, elles essaient de comprendre ce que Madeleine raconte en français. Elles n'ont d'ailleurs guère plus de mal à l'entendre qu'Anne Geoffroy, née à Besançon, qui s'exprime en un patois régional de l'est de la France. Il faut dire qu'elle a séjourné quelques mois à l'Hôtel-Dieu, sans compter le temps d'attente au port et celui de la traversée, ce qui lui a bien fait une année, plus les semaines passées ici, pour habituer ses oreilles au langage des Normandes et des Parisiennes, majoritaires, qui donnent le ton.

Dans le panier de Madeleine: le dernier pot de confiture de prunes de l'année dernière. Les gelées ont été dures au mois de juin. Tous les arbres fruitiers sont perdus. Pas de conserves de fruits pour cet hiver. En attendant la période d'austérité qui va suivre, chacune peut se pourlécher d'un doigt de ce délice.

Une multitude de petits oiseaux s'ébattent dans le frêne au-dessus des têtes. Une sœur va puiser de l'eau au puits. De temps en temps, un petit oiseau-fleur (colibri) vient pomper le suc d'une digitale. Une vache beugle, une brebis bêle. Les poules caquètent. Les petites Amérindiennes jouent. Les filles bavardent. Quelques rayons du soleil couchant éclairent les premières feuilles rouges au sommet des grands érables. C'est un de ces jours de fin d'été où l'on aimerait que le temps s'arrête, tant l'on redoute l'arrivée de l'hiver.

Le 12 septembre 1670, onze Filles du roi sont mariées, à

Québec ou dans la région: Saint-Augustin, Cap-Rouge, Sainte-Famille de l'île d'Orléans, côte de Beauport ou de Beaupré. D'autres, pourtant hébergées à Québec, sont parties jusqu'à Montréal. C'est toute une aventure, qui fait parler ce soir. Vaut-il mieux partir demeurer à Montréal ou rester à Québec? Ah Montréal! On se posait déjà la question du temps de sa fondation, avec Jeanne Mance, toujours en forme à ce qu'on dit, malgré un bras cassé, et Paul Chomedey de Maisonneuve, retourné en France en 1665.

Puis on apprend que, le 15 septembre 1670, Marguerite Binaudière a épousé, à Sainte-Famille de l'île d'Orléans, le veuf Symphorien Rousseau, chargé de six enfants. La solide Marguerite est ravie d'entrer dans une bonne maison. Ce matin, Marie Ducoudray a enfin choisi de s'unir à François Grenet, habitant, au cours d'une cérémonie collective. Le gouverneur et les principaux habitants ont offert un superbe repas. Monsieur l'intendant a prononcé un beau discours pour encourager les jeunes femmes à suivre le bon exemple.

Anne Grimbault n'attendra pas longtemps: son mariage avec Jean Jouanne, qui avait rompu avec Marie Ducoudray, est fixé pour après-demain. Anne Grimbault et Marie Ducoudray sont les deux plus grosses dots du groupe: quatre cents livres.

— Intéressé, le Jean, constate Élisabeth Aubert, qui, sagement, continue de fréquenter Aubin Lambert.

Cinq jours plus tard, il n'y a plus que sept Filles du roi dans la maison de Madeleine. Elles travaillent dur afin de retenir le plus possible du savoir-faire des ursulines. Elles ont appris à les connaître et plusieurs nourrissent désormais à leur égard une grande admiration. Leur seul regret est de ne pas avoir acquis la solide expérience des filles de la campagne.

Ce soir-là Marie-Madeleine Deschamps est sortie avec Jean Barolleau, qui fait les frais de la conversation.

— Ce gars est insupportable, dit Marie Navarron, qui a rompu un contrat de mariage avec lui, le 7 septembre.

— Malappris et irrespectueux, ajoute Anne Talbot, qui a rompu avec le même, le 13 septembre.

— Pourvu que Marie-Madeleine ne se fasse pas mettre le grappin dessus par ce triste personnage!

Le 28 septembre, Marie-Madeleine Deschamps annule avec Jean Barolleau. Le lendemain, c'est le mariage d'Élisabeth Aubert et Aubin Lambert dit Champagne, à Québec. Beaucoup de Percherons sont présents.

Le 11 octobre, à Champlain, ce sera le tour de Denise Anthoine d'épouser Laurent Buy, dit Lavergne, de la compagnie de Saint-Ours du régiment de Carignan.

Le 25 octobre, une flotte lève l'ancre. Madeleine a raconté toute sa vie aux filles, mais n'a pas écrit une seule ligne au père Poncet. Marie de l'Incarnation, qui a la plume facile, lui a répondu[44].

Anne Talbot s'en va à Boucherville épouser Jean Gareau dit Saint-Onge, le 2 novembre. Les témoins seront le fameux Pierre Boucher et un de ses fils, prénommé Pierre, lui aussi. Encore un mariage percheron.

Fin novembre, la dernière flotte de l'année lève l'ancre vers la France, emportant deux jeunes filles bien déçues qui ne veulent plus rien savoir des fréquentations en Nouvelle-France: Marie Navarron et Marie-Madeleine Deschamps. Triste, quand on pense qu'il y a cinq hommes pour une femme à marier. Seront-elles heureuses après avoir connu cet échec?

Quant à Françoise Zachée (quinze ans) et Marguerite Jasselin (quatorze ans), elles n'ont pas trouvé d'âme sœur.

---

44. Ce sera la lettre CCLXIX de la *Correspondance* de Marie de l'Incarnation éditée par dom OURY.

Personne, vu leur âge, n'a insisté et elles sont placées dans des familles pour l'hiver.

*

*   *

Ce qu'il advint de quelques-unes de ces vingt Filles du roi :
Élisabeth Aubert et Aubin Lambert resteront mariés vingt ans. Élisabeth mourra en 1690, un an après la naissance de son neuvième enfant. Le 31 décembre 1729, ils auront quatre-vingt dix-neuf descendants!

Anne Geoffroy mourra deux ans plus tard, en 1672.

Catherine Bruneau et Marguerite Jasselin collectionneront les malheurs. Geneviève Billot vivra une histoire policière louche.

Marguerite Binaudière, devenue veuve, épousera un fils, né à Mortagne, de Jean Guyon, le tailleur de pierres de Tourouvre.

Françoise Zachée épousera successivement trois hommes nobles de la colonie, dont un des fils d'Éléonore de Grand-maison.

La plus prolifique et la plus âgée de notre groupe de vingt Filles du roi sera Anne Talbot, qui aura quinze enfants et cent trente-trois descendants à la fin de 1729. Elle s'éteindra à quatre-vingt quinze ans en 1740.

Le 31 décembre 1729, les descendants des vingt Filles du roi que nous avons repérées seront déjà huit cent trente-deux sur les bords du Saint-Laurent.

21

UNE GRANDE DAME
TRANSCENDE LE TEMPS

Le 19 septembre 1671, quatre nouvelles religieuses débarquent de France pour renforcer l'équipe des ursulines de Québec. La fondation de Madeleine de La Peltrie a belle tournure. Elles sont désormais vingt-cinq religieuses — dont huit canadiennes et dix anciennes élèves — pour veiller sur un nombre d'élèves difficile à calculer tant il est éparpillé entre externes ou pensionnaires françaises, en voie d'augmentation, et séminaristes amérindiennes, de moins en moins nombreuses. Les ursulines, tout heureuses, écrivent dans leurs annales que «jamais la joie ne fut plus vive au monastère».

Quelques jours plus tard, Madeleine, toujours gracieuse, accompagne les nouvelles venues en visite à l'Hôtel-Dieu où les augustines offrent un festin. On est loin des restrictions de 1650. Madame d'Ailleboust est aussi invitée. On fête dans la joie. Par un beau jour d'octobre, Madeleine guide une nouvelle excursion à la réduction de Sillery. Elle se montre ravie de revoir ses amis algonquins ou montagnais. Elle est en pleine forme, malgré ses soixante-huit ans. Personne ne se doute qu'elle les rencontre pour la dernière fois.

Les nouvelles religieuses découvrent en Madame la Fondatrice, comme on l'appelle, une compagne étonnante. Sans avoir prononcé le moindre vœu, Madeleine respecte la règle religieuse avec la plus grande exactitude. Elle est même toujours la première à exécuter un ordre de la supérieure. L'horaire n'est jamais si ponctuellement gardé que lorsqu'elle a soin de la cloche. Mais elle se fait surtout remarquer par sa discrétion; elle parle très peu, jamais d'elle, et surtout pas pour ne rien dire. Elle prend partout la dernière place — c'est la *Relation* de 1672 qui l'expliquera — «au chœur, au réfectoire, à la communion et aux autres assemblées de la communauté».

On ne peut pas dire qu'elle agisse pour plaire ou pour attirer les manifestations de respect. De petites pensionnaires lui demandent sa bénédiction. Égale à elle-même et conforme à une mentalité caractéristique de son époque, elle répond: «Mes pauvres enfants, à qui vous adressez-vous? À la plus méchante créature qui soit au monde», poursuit la *Relation*.

Depuis son enfance, elle a pris le pli de donner aux pauvres ce qu'elle a de meilleur. Quitte, à la fin de sa vie, à porter presque toujours de vieux habits «rapetassés», pour donner les neufs, au risque d'agir contre la bienséance.

En fait, son attitude facilite la vie en commun. Prudente avec les sœurs qui, elles, font profession publique de religion, elle fait mine d'ignorer toute sagesse et de n'avoir rien à dire sur le sujet. Seule Marie de l'Incarnation et certains jésuites semblent mesurer la profondeur de sa vie et de ses combats intérieurs. Par ailleurs, avec une douceur incroyable elle dissimule «les petits déplaisirs qui sont inévitables dans une vie en communauté».

UNE GRANDE DAME TRANSCENDE LE TEMPS

Aussi, selon la *Relation*, gagne-t-elle tous les cœurs; ceux de la communauté et ceux du dehors, tant «par la douceur de ses entretiens» que par ses «libéralités». À Québec, sa sagesse impressionne. On se déplace chez les ursulines pour la rencontrer. Toute la vallée laurentienne lui souhaite encore plusieurs années à vivre.

Mais la vie en décide autrement. Le 12 novembre 1671, Madeleine tombe malade. C'est une violente pleurésie, qui ne fait douter personne de l'issue fatale. Évidemment, elle garde le lit. «Jamais elle ne fut plus humble, plus affable, plus patiente», soumise aux ordonnances du médecin ou aux conseils de la supérieure. Elle n'a plus besoin de faire mine d'ignorer la sagesse. Ses vertus paraissent «dans un éclat si extraordinaire, que les personnes qui eurent le bonheur de l'assister pendant sa maladie en furent toutes surprises».

C'est le moment de faire un ultime testament. Jean Talon lui-même se déplace pour recueillir ses dernières volontés, assisté du notaire, Romain Becquet. Très présente, elle est enchantée de revoir monsieur l'Intendant et ne manque pas de lui en témoigner ses reconnaissances. En fait, elle n'a plus grand chose à donner et étonne tout le monde: il ne lui reste rien des petits objets personnels qu'on aime généralement garder avec soi. Outre un certain nombre de prières pour le repos de son âme, Monsieur l'Intendant note qu'elle veut absolument qu'il y ait toujours des Amérindiennes au séminaire, selon le contrat de fondation de 1660. Elle supplie qu'on mette son cœur «entre les mains des R.P. de la Compagnie de Jésus... pour marque et témoignage du respect et affection...» et donne aux ursulines de Québec les biens de France d'où proviennent les revenus réguliers versés par les Laudier père ou fils. François de Laval est nommé exécuteur testamentaire.

[Il aura bien du mal à s'acquitter de sa tâche. Une certaine Marie de la Marck, épouse du fils de Marguerite, sœur aînée de

Madeleine, apprend la mort de sa tante par alliance et se dépêche, avec la complicité des Laudier, de faire adjuger les biens en faveur de ses enfants. Suit une série de péripéties juridiques. Les ursulines de Québec n'hériteront jamais. Dom Jamet, avait bien retrouvé dans les papiers d'un descendant de Marguerite une copie du testament; et, dans d'autres archives, une analyse du procès. Mais, curieusement, ces papiers ont disparu. (Voir chapitre 1)]

Pendant que le testament est rédigé par les bons soins de Jean Talon, quelqu'un demande à Madeleine si elle ne regrette pas de mourir. «Point du tout, dit-elle, j'estime mille fois plus le seul jour de ma mort que toutes les années de ma vie.»

Henri de Bernières, le neveu de Jean, lui administre les derniers sacrements. Sept jours après le début de la maladie — «ce terme paru bien court aux personnes qui n'étaient pas résolues de la perdre» — le mercredi 18 novembre 1671, elle s'exclame: «Ah! Que je serai heureuse de mourir aujourd'hui, c'est un jour destiné pour honorer saint Joseph.» Elle entre alors en agonie et expire deux heures après, vers huit heures du soir «dans l'enclos du monastère, âgée de soixante-huit ans, dont elle avait passé trente-trois en ce pays».

On organisa le lendemain des funérailles solennelles et somptueuses, comme Madeleine avait fait pour Charles, son jeune mari. «Ce qui se fit à la vérité contre ses intentions.» Elle avait, en effet, désiré la plus grande simplicité en la matière.

Ses obsèques sont «honorées de toutes les personnes considérables de cette ville et des bourgades voisines». Tout le monde la regrette. On pleure chaudement dans l'église tandis que la cérémonie se déroule dans le chœur des religieuses. Puis une procession se dirige vers la chapelle des jésuites pour, selon son souhait, y porter son cœur, enveloppé de crêpe noir et tenu par «un des plus considérables habitants du pays».

UNE GRANDE DAME TRANSCENDE LE TEMPS

Les jésuites ne disent pas lequel. Sans doute un de ses grands amis. Certainement pas Noël Juchereau, mort à Orléans en 1648, ni Pierre Legardeur, péri en mer la même année; ni Robert Giffard décédé le 14 avril 1668, à quatre-vingt un ans. Serait-ce Pierre Boucher ou un autre Percheron? Toujours est-il que la procession, conduite par son «neveu», Henri de Bernières, est suivie par le gouverneur, monsieur de Courcelles, l'intendant, Jean Talon, de nombreux Amérindiens et toute l'assemblée des habitants.

Amérindiennes séminaristes, filles de colons pensionnaires, Filles du roi mères de famille, amis d'autrefois et des derniers temps pleurent la Dame de La Peltrie.

Qui a classé ses derniers papiers: Marie de l'Incarnation ou Charlotte Barré? De toute façon, on y aura probablement découvert une lettre de Jean de Bernières datant de 1644, qui constitue un hommage absolument hors du commun à sa personne.

*
* *

Nous sommes dans la première moitié du XVIIe siècle. C'est le moment où la société valorise les mystiques actifs. Plus rares, dit-on, dans les siècles précédents et suivants, ce sont des gens qui rêvent et ont des visions, mais qui prennent conseil et prouvent leur bon sens par leur efficacité pratique et leur créativité hors pair. Certains sont gratifiés — qui sait de quoi l'on parle exactement? — de phénomènes surnaturels. Les experts de l'époque y voient parfois de la folie. Mais personne ne met en doute l'authenticité de François de Sales, Vincent de Paul, ou Marie Guyart de l'Incarnation. Il ne faut pas pour autant oublier le bon sens d'une multitude d'autres: des petits, des gens simples et peu instruits.

MADELEINE DE LA PELTRIE

Une certaine Marie des Vallées, villageoise normande de la région de Coutances, perçue dès son vivant comme une théologienne accomplie, a entendu, telle Jeanne Mance, le récit de la générosité de Madeleine de La Peltrie «qui avait quitté tout pour aller au Canada instruire les pauvres Canadiens[45]». Marie des Vallées, qui s'entretient avec son Dieu comme avec son meilleur ami, lui demande en toute familiarité de voir Madeleine. Il lui arrive alors une vision qu'elle transmet à l'intéressée, par l'intermédiaire de Jean de Bernières. La lettre de Jean raconte cette vision.

Madeleine de La Peltrie, d'autant plus belle que son Dieu la regarde, est une «jeune princesse revêtue de blanc et de rouge et richement ornée», siégeant à la gauche du Christ — le trône de droite est occupé par Notre-Dame. La princesse, donc Madeleine, située au plus haut rang, tient un «touffillon» (bouquet) composé de belles fleurs qui exhalent «une odeur fort suave»; des roses, des œillets, des violettes, «les unes épanouies, les autres en boutons». Ce sont les filles sous sa conduite. Elle les présente à la «Volonté de Dieu», qui l'arrose de «grâces extraordinaires». Puis Notre-Dame prépare une robe de pourpre rehaussée de pierres précieuses et une couronne enrichie de diamants et de rubis. «Tout cela, conclut Marie des Vallées, représente les vertus de madame de La Peltrie[46].»

Ceci est, au XVIIe siècle, un véritable certificat de conduite exemplaire, à faire pâlir d'envie les bonnes âmes soucieuses d'une reconnaissance publique de leur vie évangélique. On ne sait pas qui a pu lire le texte de la vision de Marie des Vallées. Mais plusieurs personnes, peu après la mort de Madeleine, ne manquent pas de parler d'elle en termes fort élogieux.

---

45. En ce qui concerne Marie des Vallées, nous nous fions aux recherches de OURY (1974) et au texte qu'il cite (p. 9-10 et notes 1 et 2 de son ouvrage).

46. Le manuscrit de cette lettre figure à la Bibliothèque nationale, à Paris.

CONCLUSION

Les mentalités ont changé. Nous n'identifions pas les émotions de la même manière que ceux qui nous ont précédés. Mais l'exemple de Madeleine de La Peltrie déborde jusqu'à aujourd'hui. Sa manière d'être, son caractère exceptionnel sont plus que jamais stimulants en notre fin de siècle. Maintenant comme autrefois, les gens conformistes n'inventent rien. Ce sont les déraisonnables, les «tannants» qui trouvent des solutions nouvelles aux problèmes inédits. Ils ou elles bousculent leurs proches et, finalement, en entraînent d'autres à leur suite. Ainsi se font les avancées d'une société.

Avec ses qualités — frondeuse, déterminée — Madeleine a provoqué le départ de France des ursulines, suscité l'admiration des femmes les plus dynamiques de la cour et de l'auditoire des *Relations*, fourni un modèle à Jeanne Mance.

Or la mémoire historique s'est très peu rendu compte de son importance. Vus de loin, ses actes n'ont pas l'air héroïques. Vouloir héberger des mères célibataires — ce qu'elle a fait après son veuvage — nous paraît banal. Il n'en fallait pourtant pas plus pour risquer d'être banni à l'époque. Donner une formation aux Amérindiennes paraissait à certains pure folie. C'était déjà inoovateur de créer des écoles de filles. Fonder Montréal relevait de l'utopie.

Ce qu'elle a remis en cause est maintenant parfaitement acquis. On oublie que ses actions, alors prophétiques, dépassaient les cadres établis, puisaient leur inspiration dans les profondeurs de la vie et non pas dans une rêverie éthérée ou des impulsions de fuite.

Alors pourquoi donc est-elle si peu connue? Administrativement parlant, elle a appuyé Marie de l'Incarnation puis Jeanne Mance. Ces deux personnalités de fondatrices-gestionnaires ont pris la vedette, si l'on peut dire. Sociologiquement, on pourrait avancer que sa noblesse lui a conféré, en Nouvelle-France, un rôle à part qui a rendu sa personne d'autant plus difficile à situer qu'elle n'était ni religieuse ni remariée, tout en ayant les apparences de ces deux états. Son mélange d'implication — aller danser et camper avec les Amérindiens — et de noble distance lui ont donné une position unique. Elle est inclassable. Aussi les historiens ont-ils de la peine à la caractériser. D'autant plus qu'elle n'incarne pas une figure propre à servir d'identification à ceux ou celles pour qui l'on a écrit l'Histoire.

L'intuition de Madeleine, son franc-parler non domestiqué — qu'on ne peut pas réduire à la sphère domestique —, le fait qu'elle soit sans homme — ni mari, ni évêque — et pourtant capable, contre ceux qui la jugent fantasque, de décisions et de ruptures, de voyages et de stabilité — n'est-elle pas demeurée près de trente ans chez les ursulines de Québec? — en font, avec grâce et sourire, une femme des profondeurs de l'humanité, prenant son rythme, sachant, en bonne native d'Alençon, qu'il faut du temps pour faire de la dentelle.

Grâce à elle, un plus grand nombre de jeunes filles a profité et profite toujours de l'éducation des ursulines. Inventive, fidèle

CONCLUSION

à ses mouvements profonds, ouverte aux nouveautés, rétive aux organisations trop planifiées, elle s'est attiré les foudres de plusieurs des tenants de l'ordre établi, mais elle a enfoncé des portes pourtant fermées à double verrou qui bloquaient la circulation dans sa propre société et l'ouverture à d'autres cultures. Avec Marie de l'Incarnation et Jeanne Mance, elle est parmi les premières coopérantes; une sorte de commando de choc contre la précarité de la vie des Amérindiens et des premiers colons... et contre une politique centrale d'homogénéisation culturelle. Toutes trois, sans oublier leurs compagnes, ont été à la découverte d'une vision autre du monde: celle des Amérindiens. Elles ont établi les bases de la construction d'un nouveau monde interculturel.

BIBLIOGRAPHIE

ALBISTUR, Maïté et Daniel ARMOGATHE, 1977, *Histoire du féminisme français* (tome 1, «Du Moyen-Âge à nos jours»), Paris, Des Femmes.

ANONYME, 1857, *Annales de l'ordre de Sainte-Ursule formant la continuation de l'histoire générale du même institut depuis la révolution française jusqu'à nos jours précédées d'un abrégé historique des premiers temps de cet ordre*, préface de Charles Sainte-Foi, Clermont-Ferrand, imprimerie de Ferdinand Thibaud.

ANONYME, 1974, *Historique et technique du point d'Alençon*, Alençon, Manufacture du point d'Alençon.

ANONYME, 1984, *L'émigration tourouvraine au Canada*, catalogue publié à l'occasion du 350e anniversaire de l'émigration tourouvraine au Canada, préfacé par Jacques Nortier, maire de Tourouvre.

ANONYME, 1991, *Au Perche des Canadiens Français*, préfacé par madame Pierre Montagne, éditée par «Pays d'accueil Perche», 88 p.

BERNIÈRES, Jean de, réédition de 1864 d'une édition du XVIIe siècle, *Le chrétien intérieur*, Lyon, Librairie catholique de Périsse frères.

BLANKAERT, Claude, 1985, *Naissance de l'ethnologie?*, Paris, Cerf, 267 p.

BLUCHE, François, 1986, *Louis XIV*, Paris, Fayard, 1039 p.

BLUM, André, 1924, *Abraham Bosse et la société française du XVIIe siècle*, Paris, éditions Albert Morancé.

BRAUDEL, Fernand *et al.*, 1984, *Le monde de Jacques Cartier*, Montréal, Libre Expression.

BURCKHARDT, Carl J., 1970, *Richelieu*, tome 1, «La prise du pouvoir», Paris, Robert Laffont, 349 p.

CAMBRAY, 1932, *Robert Giffart et les origines de la Nouvelle-France*, Cap de la Madeleine, 373 p.

CAMPEAU, Lucien, 1979, *Monumenta Novæ Franciæ*, II «Établissement à Québec, 1616-1634» Rome, IHSI/Québec, Presses de l'Université Laval, 889 p.

ID., 1990, *Monumenta Novæ Franciæ*, V, «La bonne nouvelle reçue, 1641-1643», Rome, IHSI/Montréal, Bellarmin, 862 p.

ID., 1990, «Montréal, fondation missionnaire» *in: L'Église de Montréal*, série d'articles.

ID., 1992, *Monumenta Novæ Franciæ*, VI, 1644-1646, Montréal, Bellarmin.

CAMUS, Mgr J.P., vers 1630, *Trente Nouvelles*, réédité en 1977 par René Favret, Paris, Vrin.

CARMONA, Michel, 1984, *La France de Richelieu*, Paris, Fayard, 463 p.

CHABOT, Marie-Emmanuel, 1966, «Madame de La Peltrie», *Dictionnaire biographique du Canada*, t. 1, p. 212-213.

CHARBONNEAU, Hubert, *et al.*, 1970, *Tourouvre-au-Perche, au XVIIe et XVIIIe siècles*, «Étude de démographie historique», Cahiers 55, Paris, INED/PUF, 423 p.

ID., 1987, *Naissance d'une population, Étude de démographie historique*, Cahiers 118, Paris, INED/PUF /Les Presses de l'Université de Montréal, 232 p.

CHARLEVOIX, F.-X., 1724, *La vie de la mère Marie de l'Incarnation*, Paris.

BIBLIOGRAPHIE

ID., 1744, *Histoire et description de la Nouvelle-France avec le Journal historique d'un voyage fait par ordre du Roi dans l'Amérique septentrionale*, Paris, Pierre-François Giffart imprimeurs rue Saint-Jacques, 6 vol.

CHAUVET, docteur S., *La Normandie ancestrale*.

CHEVALLIER, Pierre, 1979, *Louis XIII*, Paris, Fayard, 696 p.

COLLECTIF, 1980, *L'histoire de Tourouvre et de ses habitants*, préfacé par Jacques Nortier, maire de Tourouvre, Mortagne, imprimerie Danguy.

DAVELUY, Marie-Claire, 1934, *Jeanne Mance*, Montréal, éditions Albert Lévesque, 428 p.

DAVIS, Natalie Z.,1979, *Les cultures du peuple,* Paris, Aubier-Montaigne, 444 p., traduit de l'américain.

DELAFOSSE, Marcel (dir.), 1985, *Histoire de La Rochelle*, Toulouse, Privat, 310 p.

DELUMEAU, Jean, 1989, *Rassurer et protéger, le sentiment de sécurité dans l'Occident d'autrefois*, Paris, Fayard, 667 p.

DEROY-PINEAU, Françoise, 1989, *Marie de l'Incarnation, femme d'affaires, mystique, mère de la Nouvelle-France*, Paris, Robert Laffont, 310 p.

DESLANDRES, Dominique, 1990, «Le modèle français d'intégration socio-religieuse, missions intérieures et premières missions canadiennes (1600-1650)», thèse de doctorat, département d'histoire, Université de Montréal, doc. poly.

DESMEULLES, Madame, 1978, «Le collège des jésuites d'Alençon», *Bulletin de la Société historique et archéologique de l'Orne*, n° 4, décembre.

DICKINSON, John et Marianne Mahn-Lot, 1991, *1492-1992, Les Européens découvrent l'Amérique*, Presses universitaires de Lyon, 194 p.

DOUGLAS, James L.L.D., 1913, *New England and New France*, New-York/Londres, G.P. Putman's sons.

MADELEINE DE LA PELTRIE

DUBÉ, Jean-Claude, 1984, *Les intendants de la Nouvelle-France*, Montréal, Fides.

DUMAS, Silvio, 1972, *Les Filles du roi en Nouvelle-France*, Société d'histoire de Québec, 382 p.

ELLIOTT, Sophy L., 1941, *The women pionneers of North America*, Québec, Garden City Press, Gardenvale, 300 p.

FLEURY, Gabriel, 1898 (réédité en 1990 sous le titre *Histoire de Mamers*), *Notes et documents pour l'histoire de Mamers et de ses monuments*, Paris, Res Universis.

GARDET, Louis et Olivier LACOMBE, 1967, *L'expérience du Soi*, Paris, Desclée de Brouwer.

GAULIER, A-P, 1891, *Madame de la Peltrie, fondatrice des ursulines de Québec*, Alençon.

GIRARD, Yves, 1988, *Aubes et lumières, Naissance de l'impossible*, Québec, Québec, Éditions Anne Sigier, 306 p.

GUEUDRÉ, Marie de Chantal, 1958, *Histoire de l'ordre des ursulines de France*, t. 1, 1572-1650, préface de Gabriel Le Bras, Paris, Éditions Saint-Paul, 354 p., spécialement, le chapitre IV, «L'épopée missionnaire des Ursulines», p. 277 et suiv.

HABERT, Jean, Sophie JOINT-LAMBERT et Annie GILLET, 1985, *Abraham Bosse, Les gravures du Musée des Beaux-Arts de Tours*, Catalogue.

HARRIS, Cole R. (dir.), 1987, *Atlas historique du Canada*, I, «Des origines à 1800», Presses de l'Université de Montréal.

JAMET, dom Albert, 1929, réédition de 1985, *Marie de l'Incarnation, Écrits spirituels et historiques*, tome I, «Tours» et tome II, «Québec», Abbaye Saint-Pierre de Solesmes.

JETTÉ, René, 1983, *Dictionnaire généalogique des familles du Québec*, Presses de l'Université de Montréal, 1177 p.

JOUANNE, René, 1955, «La pauvreté à Alençon du temps de Marguerite de Navarre», *Bulletin de la Société historique et archéologique de l'Orne*.

BIBLIOGRAPHIE

KETCHAM-WHEATON, Barbara, 1984, *L'office et la bouche, Histoire des mœurs de la table en France, 1300-1789*, Paris, Calmann-Lévy/The University of Pennsylvania Press, 380 p.

LANDRY, Yves, 1989, «Les Filles du roi en Nouvelle-France: étude de démographie historique», thèse de doctorat dirigée par Jacques Dupâquier, Laboratoire de démographie historique, École des hautes études en sciences sociales, Paris, doc. poly.

ID., 1992, *Orphelines en France, pionnières au Canada: les Filles du roi au XVIIᵉ siècle*, Montréal, Leméac/Paris, CNRS, 450 p.

LAURIN, Nicole, Danielle JUTEAU, Lorraine DUCHESNE *et al.*, 1991, *À la recherche d'un monde oublié. Les communautés religieuses de femmes au Québec de 1900 à 1970*, Montréal, Le Jour, 431 p.

LEGENDRE, Ghislaine, 1979, *Histoire simple et véritable, Marie Morin*, Presses de l'Université de Montréal, 349 p.

LE BRAS, Gabriel, 1955-56, *Études de sociologie religieuse*, t. 1, «Sociologie de la pratique religieuse», t. 2, «De la morphologie à la typologie», Paris, PUF.

LE BRUN, Jacques, 1984, «L'institution et le corps, lieux de la mémoire, d'après les biographies spirituelles féminines du XVIIᵉ siècle» *in: Corps écrit*, n° 11.

LEVEEL, Pierre, 1989, *Histoire de Touraine*, Tours, Éditions C.L.D.

MALLET-JORIS, Françoise, 1978, *Jeanne Guyon*, Paris, Flammarion, 587 p.

MANDROU, Robert, 1964 (réédition de 1971), *Introduction à la France moderne, 1500-1640*, préface de Pierre Goubert, Paris, Albin Michel, 408 p.

NAVARRE, Marguerite de, 1559, *L'Heptaméron*, réédition de 1982, introduction et notes par Simone de Reyff, Paris, Flammarion.

MARIE DE L'INCARNATION, réédition d'avril 1985, *Correspondance*, par dom Guy Oury, Abbaye Saint-Pierre de Solesmes, 1075 p.

MARTIN, dom Claude, 1677, réédition de 1981, *La Vie de la vénérable mère Marie de l'Incarnation*, reproduction de l'édition originale préparée par les moines de Solesmes. Introduction par dom J. Lonsagne et tables par dom Guy Oury.

MATHIEU, Jacques,1991, *La Nouvelle-France. Les Français en Amérique du Nord, XVIᵉ-XVIIIᵉ siècle*, Paris, Belin/Québec, Les Presses de l'Université Laval, 254 p.

MOLIÈRE, 1669, Georges Dandin.

MONTAGNE, Françoise, 1964, «Essai sur les raisons de l'émigration tourouvraine au Canada», *in: La Revue de l'Université Laval*, Québec, vol. XIX, n° 1, septembre, p. 54-56.

MONTAGNE, madame Pierre, 1965, *Tourouvre et les Juchereau*, Québec, Société canadienne de généalogie, contribution n° 13, 191 p.

ID., 1970, «Madame de La Peltrie et son milieu familial», *in: Mémoires de la Société généalogique canadienne française*, tome XXI, p. 238-246.

ID., 1971, «Église Saint-Paul Saint-Louis», *Mémoires de la Société généalogique canadienne-française*, vol. XXII, n° 1, janvier-mars.

ID., 1972, «Notes sur Madame de la Peltrie», *Cahiers Percherons*, n° 34, 2ᵉ trimestre, p. 22-37.

ID., 1973, Bulletin n° 6 de *Perche-Canada*, «destiné à honorer la grande figure de Robert Giffard», Mortagne, doc. poly.

ID., 1976, «Les raisons du départ de nos Canadiens», suivi de «L'église de Bivilliers, ses Seigneurs», Bulletin non numéroté de *Perche-Canada*, Mortagne, doc. poly.

MONTAGNE, Pierre, 1978, «Le Perche des Canadiens», numéro spécial des *Cahiers Percherons,* 55 p.

BIBLIOGRAPHIE

MORISSONNEAU, Christian, 1978, *Le langage géographique de Cartier et de Champlain*, Choronymie, vocabulaire et perception, Québec, Les Presses de l'Université Laval, 229 p.

MOUSNIER, Roland, 1961, «Les XVIe et XVIIe siècles», tome IV de l'*Histoire générale des civilisations*, sous la direction de Maurice CROUZET, Paris, PUF.

OURY, dom Guy-Marie, 1972, «La correspondance de Marie de l'Incarnation d'après le registre des bienfaiteurs de Québec», *Église et théologie*, 3, p. 5-44.

ID., 1974, «Madame de La Peltrie et ses fondations canadiennes», numéro spécial des *Cahiers Percherons*, 1er trimestre, en coédition avec les Presses de l'Université Laval, 166 p.

ID., 1991, *Jérôme Le Royer de la Dauversière*, Montréal, Méridien.

PERCHE-CANADA, 1973, bulletin n° 6, *Giffart*, 25 mars.

ID., 1976, 25 avril, *Madame de La Peltrie*, doc. poly., Mortagne.

ID., 1989, *Les Gagnon de Tourouvre et de la Ventrouze*, doc. poly, Mortagne.

ROMANET, vicomte de, 1911-1913, *Mémoires, rédigées en 1679, par dom Ch. Le Bouyer de St-Gervais*, Mortagne.

POMMEREU, mère de, 1673, *Les Chroniques de l'Ordre des Ursulines recueillies pour l'usage des religieuses du même ordre*, Première partie, chez Jean Hénault, rue Saint-Jacques à l'Ange-Gardien.

SAINT-THOMAS, mère, 1863, réédition de 1878, *Les Ursulines de Québec depuis leur établissement jusqu'à nos jours*, tome 1, Québec, Darveau, 537 p.

SANTERRE, Louis-A.,1971, *De Tadoussac à Sept-Îles*, Montréal, Léméac, 172 p.

SÉRANT, Paul, 1991, *Les enfants de Jacques Cartier*, Paris, Robert Laffont, 290 p.

TAPIÉ, Victor-L., 1967, *La France de Louis XIII et de Richelieu*, Paris, Flammarion, 461 p.

THWAITES, Reuben Gold, 1891-1901, *The Jesuit Relations and Allied Documents*, 73 volumes, Cleveland, The Burrows Brothers Company.

TRUDEL, VACHON *et al.*, 1966, *Dictionnaire biographique du Canada*, vol 1, 1000-1700, Québec, Presses de l'Université Laval.

TRUDEL, Marcel, 1979, *Histoire de la Nouvelle-France*, III, *La seigneurie des Cent-Associés 1627-1663*, t. 1, Les Événements, Montréal, Fides, 489 p.

ID., 1983, *Histoire de la Nouvelle-France*, III, *La seigneurie des Cent-Associés 1627-1663*, t. 2, La Société, Montréal, Fides, 669 p.

VAUGEOIS, Denis et Jacques LACOURSIÈRE (dir.), 1968, *Histoire 1534-1968*, Montréal, Boréal-Express, 615 p.

Source ordinologue

Programme de recherche en démographie historique, département de démographie, Université de Montréal, *Registre de la population du Québec ancien 1621-1765.*

REMERCIEMENTS

Dans ce travail en socio-histoire, j'ai été aidée par le milieu stimulant du département de sociologie de l'Université de Montréal; notamment l'équipe de recherche de Nicole Laurin et Danielle Juteau, sans oublier:

— les recommandations du révérend père Benoît Lacroix, O.P., médiéviste, du professeur Jean Delumeau, du Collège de France et de madame Michèle Jean, historienne et directrice au ministère fédéral du Travail à Hull;

— les conseils de ceux qui ont déjà écrit sur madame de La Peltrie et m'ont aimablement fait bénéficier de leur expérience: madame Pierre Montagne, dom Guy-Marie Oury, moine bénédictin de Solesmes, le père Lucien Campeau, s.j, historien de la Nouvelle-France;

— l'équipe du programme de recherche en démographie historique du département de démographie de l'Université de Montréal, dirigée par messieurs les professeurs Hubert Charbonneau et Jacques Légaré; et notamment messieurs Yves Landry et Réal Bates.

— mère Marie-Suzanne Sanquer, supérieure provinciale des ursulines, et les religieuses ursulines de Tours; mère Gabrielle Noël, directrice du Centre Marie de l'Incarnation à Québec et les religieuses ursulines de Québec;

— les membres de Perche-Canada: monsieur Robert Tanné, maire de Mortagne, madame Catherine Guimond, bibliothécaire à Mortagne, monsieur Marcel Correia, président de Perche-Canada;

— l'Office du tourisme d'Alençon: monsieur Yves Le Noach, Président, monsieur Roger Pignot, Secrétaire général, monsieur Gilbert Thil;

— mademoiselle Gouin, libraire à Mamers, madame Plessix, directrice de la bibliothèque municipale de Mamers, madame Geneviève Habart, maire de Bivilliers, monsieur Jean Ménard, des archives historiques diocésaines de Rennes, monseigneur Sadoux, de la basilique Saint-Martin à Tours, madame Gillet, conservateur-adjoint du musée des Beaux-Arts de Tours;

— monsieur Jules Lord, de la Vieille Maison des jésuites à Sillery;

— ma famille et mes amis, pour leurs conseils, leur patience ou leurs démarches.

Je remercie mesdames Nicole Laurin, professeur titulaire au département de sociologie de l'Université de Montréal, Pauline Normand, directrice des Éditions Robert Laffont à Montréal, Denyse Perreault, journaliste et le père Yves Girard, de l'abbaye cistercienne d'Oka, qui tous m'ont encouragée tout au long de la recherche et de l'écriture de ce travail.

Un merci spécial à mon éditeur et à Andrée Yanacopoulo qui m'ont aidée avec discrétion et talent à clarifier la rédaction finale.

TABLE DES MATIÈRES

261